帝国の祭典

帝国の祭典——博覧会と〈人間の展示〉

Imperial Festival:
World Expositions and
Human Exhibitions

小原真史

水声社

目次

はじめに

19世紀半ば、参加国が産業製品の先進性を競う「産業の祭典」として始まった万国博覧会は、次第に植民地展示に代表されるような帝国主義のショーケースとしての役割を強めていく。そのとき、来場客の目を楽しませることになったのは、世界各国から集められたモノだけではなかった。人間も含まれていた——。

最新技術が幻視させる未来への期待と、未だ見ぬ遠い異国への憧憬。未知なるものへ向けられた、近代を特徴づけるこうした大衆的な欲望が交叉したのが、博覧会という場であった。博物館、動物園、見世物小屋、遊園地、劇場といった遊興施設、あるいは観光旅行というレジャービジネスが、非日常的経験を一般大衆に提供していたが、そうした一連のスペクタクルと、祝祭空間たる博覧会は地続きのものとしてあった。列強諸国が植民地の獲得にしのぎを削り、交通網も飛躍的な発展を見せた19世紀、西洋の人々は、新たに遭遇した他者を自らの世界観のなかに位置づけ、さらに娯楽として享受しようとした。異他的な存在の見世物化が大規模に展開されたのが、博覧会である。その会場には、非西洋の集落や街路を再現した〈ネイティヴ・ヴィレッジ〉が登場し、現地から動員された人々が、日常生活を営む姿を見せ、給仕を行い、土産物を売り、パフォーマンスを演じた。〈人間の展示〉である。

「博覧会の時代」は、「複製技術の時代」でもある。ともに19世紀半ばに誕生した万博と写真は、大衆の欲望と感覚を大きく再編した。博覧会と〈人間の展示〉は、世界中で行われ、そのたびに大量の複製物（印刷物）がつくられた。雑誌や新聞、パンフレットには展示の様子を描画・撮影した画像が用いられ、あるいは図像そのものが記念品や土産物として流通していった。版画、写真、絵葉書など、本書を構成する図版はすべて私が個人的に蒐集してきたものである。取り上げた対象は原則的に、ヨーロッパ・北米・日本の19世紀半ばから100年ほどの期間に限った。ここに掲載したのはコレクションのごく一部にとどまるが、国家的メガイベントが描こうとした明るい（明るすぎる）未来像とはまた違った博覧会というものの姿、その陰画を、本書の図像集は浮かび上がらせてくれるはずだ。

世界初の万博からすでに170年余り。二度目の大阪万博が予定されている今日においてなお、「博覧会と〈人間の展示〉」の歴史が突きつける問いは、けっして過去のものではないだろう。

［凡例］

– 文献の引用にさいしては、旧字を含む異体字は新字に置換し、句読点などを適宜追加した。

– 引用には、現在では差別的・蔑視的とみなされる用語や表現が含まれるが、時代背景を表す重要な資料として、原文のまま掲載している。

– 図版ページ掲載の引用文に関しては、出典を巻末の「参考文献」に［＊A–S］で示してある。

– 図版はすべて著者のプライベート・コレクションである。

1851年、世界初の万博が「全人類が現在までに到達した技術、産業、文化を示す」という主旨のもと、ロンドンのハイドパークで開催された。優れた出展品に対してメダルが贈呈されたが、これは万博以前から開催されていたフランスの内国産業博覧会を踏襲したものであった。1855年の第一回パリ万博からは厳正な審査基準が設けられ、出展者に大金(グランプリ)・小金・銀・銅のメダルと選外佳作が授与された。国家によって出展物へのお墨付きを与える褒賞制度は、技術力の指標となり、メーカー間の競争と製品のブランド化の促進につながった。

このパリ万博では世界中から集められた産業製品に値札がつけられ、1867年の第二回パリ万博からは、出展物が国別・部門別に配置され、来場客はそれらを比較し、序列化することができた。その意味で万博は、産業技術の啓蒙・普及の場であるだけでなく、商品の見本市であり、消費主義のスペクタクルを見せつける広報の場でもあった。また、産業によってもたらされる豊かな未来の実現のために事物を通して自国民の欲望を煽り、教育する巨大なディスプレイ装置としての役割も果たしていた。その後、光やガラスを多用した展示方式は、パリのデパート「ボン・マルシェ」に引き継がれ、世界中に広がっていく。

1-01

1-01
「クリスタル・パレス(水晶宮)」
1860年頃、写真

1851年の第一回ロンドン万国博覧会の会場として造園家のジョゼフ・パクストンの設計により建設された巨大な温室のような展示施設。「水晶宮」と呼ばれたこの展示空間は、参加国の機械や原料、陶器、織物、彫刻、美術品などが並ぶ巨大なショーウィンドウであり、訪れた人々の消費意識を変容させた。1854年にロンドン郊外のシドナムの丘に移築。教育と娯楽が融合する多目的施設として世界中の芸術、民族、動物などの展示を行ったが、1936年の火災で消失した。

1-02

1-03

1-02
「万博、北東ギャラリーから見た西の身廊」（ロンドン万博、1851年）『イラストレイテッド・ロンドン・ニューズ』同年9月6日

1-03
「東インドの展示場」（ロンドン万博、1851年）『イラストレイテッド・ロンドン・ニューズ』同年7月19日

1-04

1-04
「産業宮殿」(パリ万博、1855年頃)
ステレオ写真カード
第一回パリ万博のメイン会場となった産業
宮(パレ・ド・ランデュストリ)の正面入口の上に
は、フランスを象徴する女神が産業と芸術と
いう2人の娘に金の冠をかぶせようとしてい
るエリアス・ルニョーの彫像が設置されてい
た。この像が示しているように優れた出展物
には、国家からその栄誉が讃えられた。

1-05
「産業宮でのプロイセンの展示」
(パリ万博、1855年)
『イリュストラシオン』
同年11月10日

1-06
「万博における褒章授与」
(パリ万博、1889年)絵葉書

1-07
「産業製品の展示場」
(パリ万博、1855年)
『イリュストラシオン』
同年6月23日

1-05

72 LL. GERVEX. - Distribution des récompenses à l'Exposition Universelle de 1889. MUSÉE DE VERSAILLES
1-06

──万国博覧会、過去に対する最後の打撃、即ち、フランスのアメリカ化、美術に優先する工業、絵画の場所を削り取る蒸気打殻器、安全尿瓶と風に吹きさらしの彫像、つまり一口にいえば、「物質の連邦」である。*A　　　　　ゴンクール兄弟

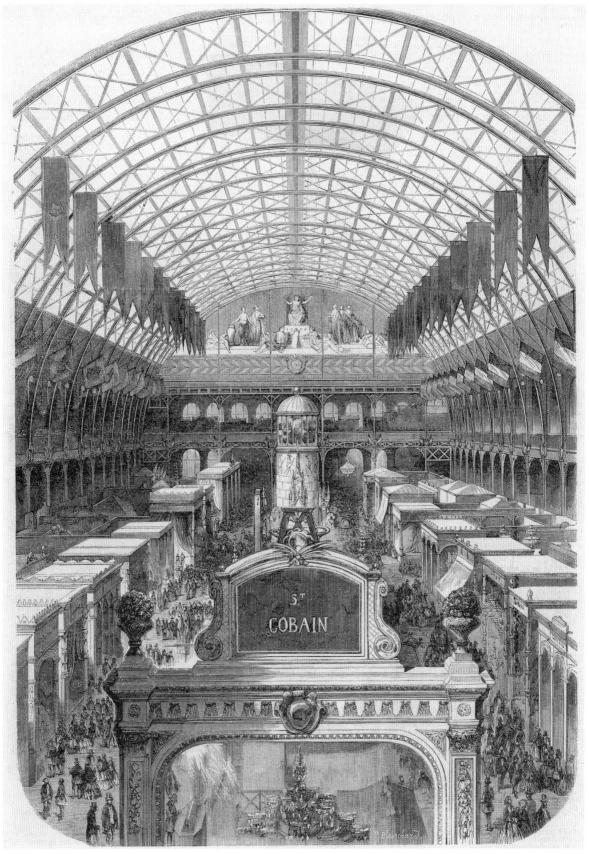

1-08

1-09

1-10

1-08
「アンナン村」（パリ万博、1889年）
クロモカード［発行：Bon Marché］

1-09
ボン・マルシェの外観が印刷された裏面

1-10
「ボン・マルシェ館」（パリ万博、1900年）クロモカード［石版画：J.Minot］［発行：Bon Marché］
1852年にパリのボン・マルシェの経営権を手に入れたアリスティド・ブシコーは、万博のディスプレイを参考にして現在のデパートの原型をつくった。光やガラスを多用したブシコー演出による魔術的な消費空間は、人々を魅了し、ウィンドウショッピングという習慣を定着させた。ボン・マルシェは、1867年のパリ万博以降、国内外の万博にも積極的に商品を出展し、1900年のパリ万博では「ボン・マルシェ館」という独自のパビリオンを建設している。また、万博に関わる広告用のクロモカードも数多く発行した。同時期に誕生した万博とデパートとは、来場（店）客に商品を陳列・比較させ、購買意欲を刺激するという機能において近親関係にあった。万博の展示は会期後には取り壊されてしまう仮設的なものであったが、常設化された万博とも言うべき役割をデパートが担った。

1-11

1-11

「選外佳作」賞状（マルセイユ内国植民地博、1922年）

［画：David Dellepiane］

マルセイユ内国植民地博覧会で優秀な出展者に与えられた賞状には、フランス共和国を象徴する女性（女神）を植民地や保護国の人々が仰ぎ見る様子が描かれている。南国産の果物や調度品、動物らとともに階下に描かれたネイティヴたちは、フランスによる統治を可視化し、展示にリアリティを与えるべく会場内に動員されていた。作者は同博覧会のポスターも担当した挿絵画家ダヴィド・デルピアーヌ。

1-12

「第五回内国勧業博覧会二等賞牌」（第五回内国勧業博、1903年）

［彫金：海野美盛］

日本の殖産興業政策の一環として計画された内国勧業博覧会は、1877年から1903年までに計5回開催された。万博の褒賞制度を見本にして1等、2等、3等などの賞牌の授与が行われた。

1-12

王侯貴族が自らの権力を誇示するために世界中の珍品や動物が蒐集・展示されることが古来よりあったが、ときにそうしたコレクションのなかに人間が含まれた。

ダーウィニズムがヨーロッパを席巻した19世紀後半から20世紀初頭にかけて、動物に近い原始的存在として見出された人々がいた。多毛症や小頭症の人々、アフリカの「黒人」などである。彼らは猿と人間との間の「ミッシング・リンク（失われた環）」を埋める存在として科学者や動物学者、興行師の注目を集め、見世物として展示されたり、研究対象になった。

植民地拡大や奴隷貿易が進行する過程でアフリカの「黒人」は、日常的にも科学的にも類人猿に近い存在として言及され、表象されてきた。彼らが動物に近い原始的な存在であることを暗示するために動物と近接して展示されたり、同じスペースに居住させることがあった。

例えば、動物園のサル舎で展示されたピグミーのオタ・ベンガや「ホッテントット・ビーナス」として知られるコイコイ人のサラ・バートマンなどが挙げられる。バートマンは、大きな臀部や性器という特徴により獣性を強調されてロンドンやパリで展示され、最後には解剖されてその身体は博物館に収蔵された。動物学、優生学、人類学のような学知が現在の目から見れば極めて差別的な展示に科学的なお墨付きを与えることに貢献したのである。

パリ郊外のブローニュの森で動植物の展示を行っていたジャルダン・ダクリマタシオン（順化園）は、1877年に教育的企画としてヌビア人の展示を試み、興行的な成功を収めた。この施設の展示は、1889年のパリ万博が大規模な〈ネイティヴ・ヴィレッジ〉を採用するきっかけを与え、その後もヨーロッパにおける〈人間の展示〉の中心地となる。

また、1907年にハンブルク近郊に開園したハーゲンベック動物園でもさまざまなネイティヴが出演する「民族ショー」が定期的に開催された。こうした展示は、施設の財政を支えるドル箱企画となり、万博や地方都市の博覧会でも定番のイベントとして定着していくことになる。

Kunst Anst ARNOLD WEYLANDT Berlin S.O.

Andenken an Lionel, den Löwenmenschen, 17 Jahre alt.

2-01

2-01
「リオネルの記念、
ライオン男、17歳」
1911年頃、絵葉書

2-02

2-02
「「ホッテントット・ヴィーナス」の人体模型」
年代不詳、絵葉書

「ホッテントット・ヴィーナス」として知られるコイコイ人の女性で、渡英時にサラ・バートマン（本名不明）と改名した。ケープ植民地（現南アフリカ）の奴隷であったバートマンは、イギリス人船医らの甘言にのって1810年にロンドンに渡った。ロンドンでは、コイコイ人の女性の特徴である大きな臀部を強調した衣装を身につけて、檻の中や舞台上で歌い踊り、ときに観客から身体を触られたりしながら「生ける野蛮」を演じた。また、「ホッテントットのエプロン」と呼ばれた肥大した性器も話題となり、セックスシンボルとなった。

1914年に動物ショーの調教師に買い取られ、パリで見世物となる。パリでは比較解剖学の権威ジョルジュ・キュヴィエをはじめとする学者らによって身体やその動きが調べられ、猿との近親性を指摘された。1815年にパリで死去すると、キュヴィエの手による遺体の公開解剖・解体が行われ、切り取られた身体の一部がホルマリン漬けにされた。石膏で型どられた身体模型や骨格標本は、パリの人類博物館で長らく保管・展示されていた。

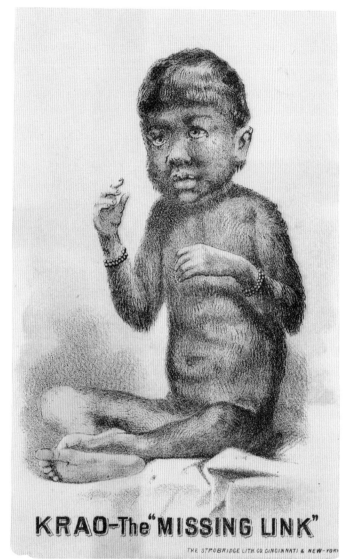

2-03

2-03

「クラオ、ミッシング・リンク」1885-90年頃、広告カード

「ジョン・B・ドリスの新モンスター・ショー」の広告カード。クラオは探検家カール・ボックがラオスで見つけた多毛症の少女で、幼少期からヨーロッパで展示され、学者らの注目を集めた。「グレイト・ファリーニ」として知られる興行師ギレルモ・ファリーニの養女となったことでクラオ・ファリーニと名付けられる。最も下等な人間と高度な動物との間をつなぐ「ミッシング・リンク」として注目され、生ける証拠として欧米を回った後、1926年にニューヨークで死去。

2-04

2-05

2-04
「正門、カール・ハーゲンベック 動物園、シュテリンゲン」1908年、絵葉書
1907年にハンブルク近郊に開園したハーゲンベック動物園には、動物商のカール・ハーゲンベックが考案した、檻を使わない動物の飼育・展示法が採用された。「ハーゲンベック方式」呼ばれるこの方法は、動物の身体能力に合わせた溝や仕切りを来園者から見えにくい場所に設置し、背景に岩山などを配置することで、あたかも自然の状態で動物たちが生息しているかのように見えるというパノラマ展示である。この動物園では、「民族ショー」と呼ばれた〈人間の展示〉が定期的に行われており、正門には動物の銅像とともに槍を持った北アメリカとアフリカのネイティヴの像が設置されていた。

2-05
C・ホルツァー「シンハラ人、カール・ハーゲンベックの遠征」1885年、写真

2-06
「ハンブルク・シュテリンゲンの
ハーゲンベック動物園における皇帝
（ヴィルヘルム二世）」
1913年、絵葉書［写真：Theodor Jürgensen］

2-06

2-07

2-08

2-07
「ジャルダン・ダクリマタシオン滞在中の
ヌビア人」『ル・モンド・イリュストレ』
1877年9月22日［画：M. Vierge］

ジャルダン・ダクリマタシオンは、フランスとその植民地の動植物の研究を目的に1860年にパリ郊外のブローニュの森に設立され、余暇と教育の場としてパリ市民の憩いの場となった。その後、来園者数の落ち込みに悩むものの、1877年に教育的企画としてヌビア人の展示を行ったことにより、来園者数を劇的に回復させる。居住空間は、ネイティヴたちがもともと生活していた環境に似せるように設計されており、現地の動植物なども持ち込まれた。人類学者たちは遠隔地のネイティヴをパリまで呼び寄せて研究を行ない、彼らの身体や習慣、異なる環境での「順化(acclimatation)」の度合いなどを観察した。

2-08
「パリ、ジャルダン・ダクリマタシオン。
アシャンティ人の女性」1903年、絵葉書

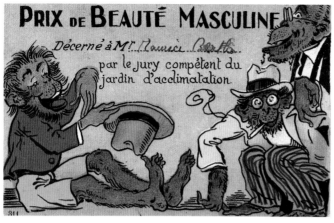

2-09

2-10

2-11

2-09
「美男子コンテスト。
ジャルダン・ダクリマタシオン」
1925年、絵葉書［画：J. Nozais］

2-10
「万博にて：植民地展示」（パリ万博、1900年）
『ル・リール』同年5月19日
［画：Georges Meunier］
フランスの風刺雑誌『ル・リール』に描かれた
パリ万博の様子。〈ネイティヴ・ヴィレッジ〉の
出演者を見て「本物の猿ですよね、男爵夫
人?」と聞く男性に対して、夫人は「賭けても
よいですわ」「ちょうどココナッツを2つ持って
いるから彼にあげますわ」と答えている。

2-11
「ネグリト族の射手（ミッシング・リンク）」
（セントルイス万博、1904年）絵葉書
セントルイス万博の「フィリピン村」に居住した
42歳のネグリト族の男性。「フィリピン村」の
展示では、半裸のネグリト族はフィリピンから
集められた部族の中でも劣位に位置付けら
れており、とりわけ身体の小さなこの男性は、
会場で「ミッシング・リンク」と称されていた。

2-12

彼等は音声に軽蔑の語と、嘲弄の面相にて「見よ、ここに『食肉人種』あり、彼の二尺余の黒き小人はそれ也、彼の歯を見ずや、狼の牙の如く皆尖れり」と。*B

稲垣陽一郎

2-12
「ドレス・パレード出演中のピグミー（左から二番目がオタ・ベンガ）」（セントルイス万博、1904年）写真
宣教師によってコンゴからセントルイス万博に連れられてきたムブティー・ピグミーのオタ・ベンガは、儀式用の装飾として尖らせてあった歯の形状によって会場で目立つ存在となった。1906年には、ニューヨークのブロンクス動物園でサル舎の中で展示され、「野蛮人」を演じた。檻の前には、名前と身長、体重、年齢、出身地、アメリカに連れて来た人物の名、いつ展示されるのかが書かれた看板が設置されていたという。動物園を去った後、居場所を転々とし、第一次大戦勃発のため故郷に帰れなくなったことを絶望して1916年に拳銃自殺。アメリカ自然史博物館には、台座に「ピグミー」と書かれたライフマスクが残されている。

2-13
ジャルダン・ダクリマタシオン、1903-1930年代、絵葉書

2-14
ハーゲンベック動物園、1907-1930年代、絵葉書

19世紀半ばにダゲレオタイプが実用化されると間もなく、写真師たちはまだ見ぬ異郷を撮影するために旅に出た。新航路の開発や鉄道・蒸気船の発展にともなって旅に出る人間の裾野は次第に広がりを見せていくが、それは未知のものを発見する旅が既知のものを確認する旅行へと変容していく過程であった。

1851年の第一回ロンドン万博は、人々の旅行熱が高まる起爆剤になった。イギリスのトマス・クックは、鉄道会社と連携して万博を訪れるための団体割引旅行を発案し、多くの旅客を集めた。その後、トマス・クック社はエジプトやパレスチナ、アルプス、イタリアなどのツアーに力を入れ、1872年には初めての世界一周団体旅行を企画するなど、事業を広げた。折しもジュール・ヴェルヌの小説「八十日間世界一周」がフランスで連載されている最中のことであった。クック社の成功が世界中に広大な植民地を有するイギリスの軍事力・経済力を背景にしていたことは言うまでもない。この時代の交通網の発展は、モノとヒトの移動を容易にし、博覧会の大規模化や来場客数の増加につながったのである。

19世紀末の博覧会には、遠隔地の集落を再現した場所に現地住民を配置した〈ネイティヴ・ヴィレッジ〉が数多く登場したが、なかでもそのリアルさにおいて特筆すべきなのは、1889年パリ万博の「カイロ通り」やセントルイス万博の「エルサレム」だろう。前者は実際にカイロから運んできた古材をつかってファサードをつくり、後者はエルサレムの旧市街の様子を忠実に再現した大規模なものであった。そして、路上や店舗に配置されたエジプト人やパレスチナ人、ユダヤ人の存在がこうした風景にリアリティを与えていた。来場客は自国の都市にいながらにして異郷の風景を楽しんだり、土産物を買ったりして疑似旅行を体験することができたが、実際に長旅をして異郷の博覧会場を訪れたのは、〈ネイティヴ・ヴィレッジ〉の出演者たちの方であった。

AGRICULTURISTS AT THE EXHIBITION.

3-01

3-01
「万博を見学する来場客」『イラストレイテッド・ロンドン・ニューズ』（ロンドン万博、1851年）

3-02

3-02

「トマス・クック社のオフィス（シカゴ）」

1892年頃、写真

3-03

「クック社のパリ小旅行」（パリ万博、1889年）

パンフレット［発行：Thomas Cook & Son］

1851年のロンドン万博以降、万博が開催されるたびにトマス・クック社は、大量のツアー客を欧米に送り込み、現地でホテルや食事、移動の手配を行った。この時代、万博を訪れることが旅行に出る大きな動機になっていたのである。クック社は広報誌『クックのエクスカーショニスト』やパンフレットを巧みに使って旅行への欲望を刺激し、旅客を集めた。印刷技術の発展がマス・ツーリズムの成立に一役買った側面もある。

3-03

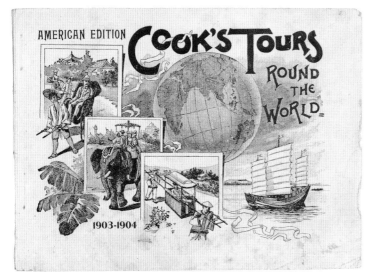

3-04

3-04
『クックの世界周遊ツアー』1903年
［発行：Thomas Cook & Son］

3-05
「ヤッファ門、エルサレム」
（セントルイス万博、1904年）絵葉書
セントルイス万博会場には、エルサレムの旧市
街が忠実に再現され、来場客は聖地を巡礼
する気分を味わうことができた。ヤッファ門の
中には現実のエルサレムへと彼らを導くべく、
トマス・クック社の事務所が設けられていた
（門の壁面に「クック社ツーリスト事務所」という看
板が確認できる）。事務所の看板にはパレスチ
ナやシリアへの旅行における装備や現地ガイ
ドなどの用意が万端であるという宣伝文句が
書かれていた。

3-05

3-06
「ヤッファ門の中でラクダに乗る、エルサレム」
（セントルイス万博、1904年）ステレオ写真カード
［発行：Keystone View Company］

3-07
「食人族の酋長」1920-30年代、ポスター
［発行：Thomas Cook & Son］
「食人族」に捕らえられた旅客が「酋長」に
解放されようとしている様子が描かれたポス
ター。「クックさんのところから来たのならなぜ
早く言わないんです？ 私はクック社のローカ
ル・エージェントなんです」と書かれている。
同社の安全性とカバーする地域の広さがア
ピールされている。

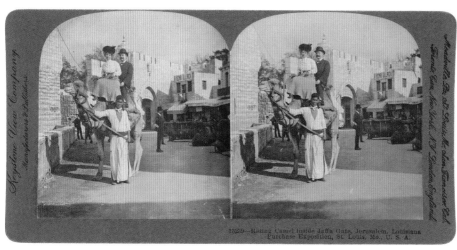

3-06

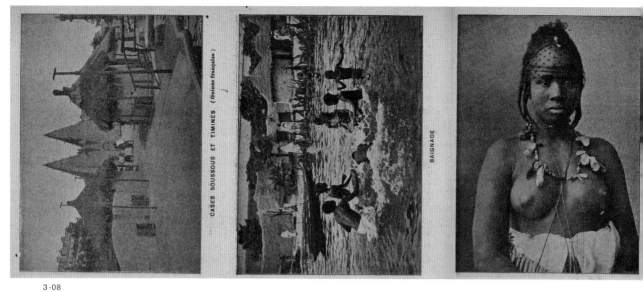

3-08

3-08
「シャン・ド・マルスのスーダン人とマダガスカル人」1896年
　1896年にパリのシャン・ド・マルスにつくられた〈ネイティヴ・ヴィレッジ〉のパンフレット。パリ市民はパリの中心部で
400人ものアフリカ人が生活する集落を疑似体験することができた。同年、リュミエール兄弟は、ジャルダン・ダクリマタ
シオン内の〈ネイティヴ・ヴィレッジ〉の様子を撮影している。シネマトグラフには、人工池の中に来場客が投げ入れた
小銭を拾い集めるために繰り返し水の中に飛び込む子供たちの姿が記録されている。

3-09

3-10

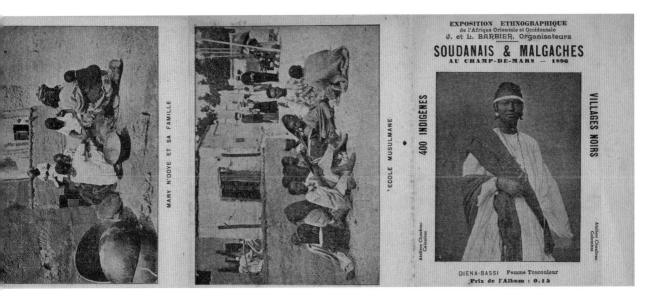

3-09
「カイロ通り」（1889年、パリ万博）写真

3-10
「カイロ通りのロバ引き：郵便配達員の到着」（パリ万博、1889年）
『イリュストラシオン』同年7月20日

3-11
「「これって本当にエジプトからの直送品なの？」「もちろんだよ！（パリの）
タンプル通りの職人が送ってきたものだからね！」」（パリ万博、1889年）
クロモカード［画：Draner］［発行：Maison de la Belle Jardinière］

3-11

3-12

3-13

3-14

3-15

3-12
「世界一周館」(パリ万博、1900年)写真
1900年パリ万博の際、エッフェル塔の近くには、東照宮の五重の塔を模した建築物をはじめ中国やインドシナ、インド、ギリシアなどの建築物が集合した「世界一周館(ツール・ド・モンド)」という折衷主義的な商業施設がつくられた。フランスの民間企業が世界の縮図を企図して建設したこの施設では日本の芸者をはじめ様々な国の人々が民族服で歌い、踊り、来場客に給仕を行った。

3-13
「ハトホル神殿」(パリ万博、1867年)写真

3-14
「アンナンの人力車」(パリ万博、1889年)写真

3-15
「馬鹿者! 人力車は体重の軽い女性限定だって何で最初に言わないんだ!」
(パリ万博、1889年)皿:磁器

3-16
「コンスタンチノープル通り」
(汎アメリカ博、1901年)写真

3-16

3-17
「ジャワ村」（パリ万博、1889年）写真

トロカデロから眺めた万国博覧会場。エッフェル塔、エキゾチックな建物群を見ていると夢のなかにいるような気になる。この博覧会は現実感がない。まるで中近東舞台の芝居の実物の装置のなかをねり歩いているような心地だ……*C　　　ゴンクール兄弟

3-18

 3-18
「チロリアン・アルプス」
（セントルイス万博、1904年）写真

3-19
「エスキモー」のトランプ
（アラスカ・ユーコン太平洋博、1909年）

3-20
「植民地博覧会」
（マルセイユ内国植民地博、1922年）絵葉書

3-19

3-20

3-21

3-21

「一日間世界一周」

（パリ国際植民地博、1931年）

絵葉書［画：Victor Desmeures］

ヴィクトル・デムールが描いたパリ国際植民地博覧会公式ポスターの図案は、絵葉書や切手などにも採用された。フランス国旗の下に植民地住民を象徴する4人の人物が描かれ、その周りには小説『八十日間世界一周』の読者を意識した「一日間世界一周」というキャッチ・フレーズが書かれている。アフリカとインドシナ、中南米にまたがるフランスの広大な植民地をたったの一日で旅行ができることがこの博覧会の謳い文句であった。ポスターはさまざまな言語に翻訳されてヨーロッパ中に配布された。

3-22

「ロバ車に乗る来場客」

（パリ国際植民地博、1931年）写真

3-23

「ラクダに乗る来場客」

（パリ国際植民地博、1931年）写真

3-22

3-23

産業革命と植民地経営による繁栄を謳歌するヴィクトリア朝のロンドンでは、様々な見世物興行——蝋人形やからくり、パノラマ、ファンタスマゴリア、動物ショー、魔術師、「野蛮人」、美術品など——が行われ、貴族や中産階級の知的好奇心や異国趣味に応えていた。異国の産物の蒐集や展示は、ローマ帝国時代や大航海時代のような海外の探検と征服が進んだ時代から盛んに行われてきたものであったが、イギリスの広大な植民地帝国とヴィクトリア朝に盛り上がりを見せた教育熱がそうした興行や展示の大衆化を推し進めた。大衆の遠方への欲望や珍奇なるものへの蒐集熱、未知のものへの好奇心、異質な身体を持つ他者への畏れは、19世紀という時代を特徴づけるものだ。こうした欲望は、見世物小屋や博覧会、サーカス、博物館、動物園、劇場という形に結実して世界中へ伝播し、その広がりと軌を一にす

るように商魂たくましい興行師たちの活躍の場も広がりを見せてゆく。そしてそのなかから非西洋人や「フリークス」を組み込んだ多角的なショーや展示をグローバルな規模で展開する者も現れる。例えば、「グレイテスト・ショーマン」として知られる興行師のP・T・バーナムや「バッファロー・ビル」の異名を持つウィリアム・フレデリック・コーディ、「動物王」と呼ばれたカール・ハーゲンベックなどである。彼らは世界中にネットワークを張り巡らせ、人間と動物が出演するツアーや展示を行った。商業的な成功を求めた興行師たちのなかには、人身売買や甘言によって見世物にする人間を居住地から連れ出した者も多く、現在の視点からすれば、非人道的で差別的な興行も少なくなかった。他方、欧米人マジョリティとは異なる身体を持つことをビジネスにする職能的な集団も現れるようになる。

4-01

4-01
「ナイツブリッジのセント・ジョージズ・ギャラリーにおけるズールー族のカフィル人」「イラストレイテッド・ロンドン・ニューズ」1853年5月28日

1853年にロンドンで行われたズールー族12名の展示は、ヨーロッパ中をめぐる大ツアーとなった。彼らはアフリカの風景が描かれた背景画のある舞台の上で踊ったり、槍で戦ったりする様子を見せ、観客が求めるような「野蛮人」を演じた。同記事では彼らのことを「良い俳優」と評している。「カフィル人」とは、南アフリカで「白人」が「黒人」に対して用いる蔑称。

4-02

4-02

ピエール・ルソー「ジョイス・ヘス」1954年、素描：インク、紙

ジョイス・ヘスは、ジョージ・ワシントンの乳母で、161歳になるという触れ込みで展示された「黒人」女性。P・T・バーナムが前の所有者の興行師から買い取った後、1835年に数カ月間各地を巡業した。ミイラのように極端に痩せ（体重46ポンド＝20キロとされた）、爪を長く伸ばしたミステリアスな外見と彼女の話すワシントン少年の逸話は、米国民のナショナルな記憶と結びつき、多くの見物客を集めた。翌36年にニューヨークで亡くなったが、その年齢の真偽について議論が巻き起こったため、バーナムは入場料をとって公開解剖を行った。「大ペテン師」とも呼ばれたバーナムによる〈人間の展示〉の最初の例である。

4-03

「親指トム夫妻、ナット提督、ミニー・ウォーレン、P・T・バーナム」1863年、銅版画

4-03

4-04

4-04
「バーナムの博物館における生きたキュリオシティたち——
アルビノの家族、コレハナニモノ? アステカの子供たち」
『フランク・レスリーズ・イラストレイテッド・ニューズペーパー』
1860年12月15日

この興行では、子供のときにアメリカの貧しい「黒人」の両親からバーナムに売られた小頭症のウィリアム・ヘンリー・ジョンソン（右端）が「コレハナニモノ?」として初めて展示された。チャールズ・ダーウィンが『種の起源』を出版した翌年のことであった。彼の出身地は本来のアメリカではなく、アフリカのガンビアで樹上を飛び移っているところを探検隊に発見されたと宣伝された。その後、「ピンヘッドのジップ」として知られるようになり、「猿人」を連想させる毛むくじゃらの衣装や演技でバーナムの興行に出演し続けた。

4-05
「親指トム将軍、フリードリヒ大王として」
『イラストレイテッド・ロンドン・ニューズ』1845年12月27日

本名はチャールズ・シャーウッド・ストラットン。5歳のときにバーナムによって雇い入れられ、歌や踊り、演技、パントマイムなどを仕込まれる。英雄や有名人のモノマネをする「親指トム将軍」として人前に出るようになるとたちまち人気を博した。ヨーロッパツアーに出演したストラットンは、ヴィクトリア女王をはじめとした王族・貴族との面会を繰り返す中で、国際的な有名人へと上り詰め、バーナムのビジネスパートナーのような存在になった。1863年に同じ小人症のラヴィニア・ウォーレンと結婚。ニューヨークのグレース教会での盛大な結婚式は、世紀の結婚として大きく報じられた。1883年に死去。故郷のブリッジポートには、彼を記念したモニュメントがある。

4-05

親指トム将軍は、よく知られたナポレオン皇帝の軍服に身を包んでいた。私が彼を「鉄の公爵」にご紹介したところ、公爵は一体何を瞑想していたのか、と尋ねた。するとこの小さな将軍は、「余はワーテルローの戦いについて考えていたのだよ」と即座に返答した。このウィットに富んだ対応は、英国中の新聞に報じられ、それだけでもこの見世物に数千ポンドの価値があった。[*D]

P・T・バーナム

4-06
「チャンとエンと彼らの子供たち」1865-72年、写真

1811年に中国系の両親のもとタイで生まれ、「シャム双生児」と呼ばれた結合双生児の兄弟。各地のサーカスや見世物興行に出演したが、1839年には巡業をやめ、アメリカ市民となってブンカーという姓を名乗る。それまでに得た資金で農場と家畜、奴隷を購入し、イェイツ姉妹と結婚する。その後、農場の経営が悪化したことにより、見世物興行に復帰し、バーナムの興行にも出演した。2人は1874年に死去。

4-06

4-07

4-07
「地上最大のショー」1901年頃、絵葉書
［発行：Barnum & Bailey Limited］

4-08
「シコ（クリコ）、アフリカのブッシュマン」
1930年代、絵葉書

4-09
「J・P・モルガンと小人のリア・グラフ」1933年、写真
本名はリア・シュワルツ。サーカス団「リングリング・ブラザーズ・アンド・バーナム・アンド・ベイリー」
に小人の「リア・グラフ」として出演した。1933年、サーカスのキャンペーンでウォール街の投資
家J・P・モルガンの膝に座って会話したことで脚光を浴びた。1935年にはアメリカでのキャリアを
終え、母国のドイツに帰ったが、身体障害があったことに加え、ユダヤ系であったことでゲシュタ
ポに逮捕される。当時、アーリア人の遺伝的な純粋性を脅かすとされた精神障害者や身体障害
者は、ナチスの「安楽死」プログラムの対象とされていた。1941年にリアはアウシュヴィッツで両
親とともにガス室で殺害されたという。適者生存を説いたダーウィンの進化論は、優生学やナチ
スの人種主義と結びつき、ホロコーストに利用された。

4-08

4-09

G.W. WILSON   ABERDEEN

CHE-MAH.
THE CHINESE DWARF.

4-10   4-11   4-12

4-10
「中国の巨人・チャン、妻、付き添いの小人」『イラストレイテッド・ロンドン・ニューズ』
1865年7月30日
ロンドンのエジプシャン・ホールへの出演記事の挿絵で、巨人症のチャン（五九）とその妻役の女性、小人症のチュン・モウ（杜敨富）が描かれている。1812年に探検家のウィリアム・ブロックによって設立されたエジプシャン・ホールでは、世界各国の珍品の展示や「フリークス」、奇術の興行などが行われていた。この3人は1867年パリ万博で中国の展示スペースにも出演して話題となった。チャンはロンドンの娯楽施設ロイヤル・アクアリウムで1880年に開催された「チャン、グレイト・チャイニーズ・ジャイアント」をはじめ、さまざまな興行にも出演した。

4-11
G・W・ウィルソン「中国の巨人・チャン」1871年頃

4-12
「チェ・マー、中国人の小人」1880年代、写真

4-13
「ワイルド・インディアン・ショー」
『イラストレイテッド・ロンドン・ニューズ』1876年11月25日
[画：Paul Meyerheim]

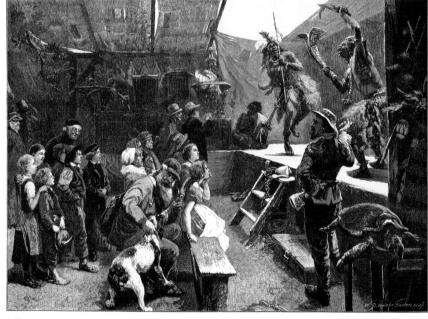

4-13

4-14

LES DERNIERS AZTÈQUES
La femme Bartola

LES DERNIERS AZTÈQUES
L'homme Maximo

4-15

4-14

「ジュリア・パストラーナ」1900年頃

1834年にメキシコで生まれたジュリア・パストラーナは、多毛症のため顔が毛で覆われていた。のちに夫となるアメリカ人興行師は、パストラーナを見世物にするため歌や踊りを仕込み、世界各国を回った。耳と鼻が大きく、分厚い唇と歯茎を持っており、「熊女」「猿女」「世界で最も醜い女性」などと宣伝されたが、美声を持ち数カ国語を話す知的な女性であったという。観客から求婚を受けることがたびたびあったが、ときには猿の真似をしなければならないこともあった。1860年のモスクワでのツアー中に自分と同じ特徴を持つ息子を出産したが、数日しか生きられず、本人も産後の合併症で死亡。2人の遺体は剥製にされ、興行師であった夫により世界各国で展示された。

4-16

4-15

「最後のアステカ人。女、バルトラ」
「最後のアステカ人。男、マキシモ」
1904年、絵葉書

4-16

「ハリソン大佐のピグミーたち」
1905年、絵葉書

4-17

4-18

4-19

4-17
「カール・ハーゲンベック」1924年頃、絵葉書［写真：E. Bleber］

4-18
「ドイツにおけるベドウィンのキャンプ」1890-91年、写真

4-19
「ロンドンにおけるアフリカ：暗黒大陸の内部」『グラフィック』
1895年8月3日［画：H. Lanos］
動物商のカール・ハーゲンベック は、1895年にロンドンのクリスタル・パレスにおいて動物とソマリ人が出演するショーを開催した。書き割りの背景画をはじめとする舞台装置を使った物語性や演劇性の強いもので、単にリアルな戦闘シーンやエキゾチックな踊りを見せるだけでなく、フィクショナルな要素を導入することで、エンターテイメント性を高めた。

4-20
「ベルリンの動物園におけるヌビア人」
『ユーバー・ラント・ウント・メア』
41巻10号、1878年［画：E. Henseler］
1877年から翌年にかけてカール・ハーゲンベックは、動物の供給地であったスーダンからヌビア人の一団をヨーロッパに呼び寄せ、ベルリンやドレスデン、パリなど大都市を回った。この挿絵には、日常生活を営むだけでなく、戦闘ショーを見せたり、観客にサインをしている様子が描かれている。ベルリンの動物園ではこの興行を観るために1日に8万人以上の来場客が訪れた日もあったという。

Die Nubier im zoologischen Garten in Berlin.   Originalzeichnung von E. Henseler.   (S. 186.)

XLI.

4-21

「バッファロー・ビル」1905年頃、絵葉書
「バッファロー・ビル」の通称で知られるウィリアム・フレデリック・コーディは、南北戦争時には北軍で活躍した軍人であったが、1883年にネブラスカ州で屋外ショー「ワイルド・ウェスト」を始めると、馬や水牛などを含む大所帯の一座を率いて国内外を旅して回った。西部劇の原型となるこの興行は、レースやロデオ、駅馬車襲撃、動物ショー、音楽、寸劇など多種多様なパフォーマンスがちりばめられた歴史的な場面から構成されており、西部開拓を夢と冒険に満ち溢れたものとして描き出した。女射撃手のアニー・オークレイによる射撃やスー族の戦士シッティング・ブル本人が出演する「リトルビックホーンの戦い」の再現などが人気を博し、アメリカの大衆娯楽として定着した。アメリカ・インディアンの出演者たちは、居留地では得られない賃金を稼ぐことができたが、野蛮な「敵」としてバッファロー・ビル率いる騎兵隊やカウボーイらに打ち負かされる役を演じながら、西武開拓（という名の侵略）を進めたアメリカの歴史物語を彩ることになった。一座は1889年のパリ万博や1893年のシカゴ万博などにも出演し、長期に及ぶヨーロッパツアーも行うなど、国際的にも活動した。

4-22

「バッファロー・ビルのワイルド・ウェスト・ショー」
（シカゴ万博、1893年）『マジック・シティ』1巻15号、1894年
［発行：H. S. Smith and C. R. Graham
for Historical Publishing Co.］

4-22

4-23 4-24

4-23
「シッティング・ブル、スー族」1904年、絵葉書［写真：F. A. Rinehart］

4-24
「バッファロー・ビルズ・ワイルド・ウェスト」1906年頃、絵葉書

4-25
「アメリカ展の「ワイルド・ウェスト」ショーにおけるヴィクトリア女王」
「イラストレイテッド・ロンドン・ニューズ」1887年5月21日

4-25

西洋諸国では東洋（オリエント）の女性たちは、官能的でセクシャルなステレオタイプで表象され、理想化されてきた歴史がある。それまで東洋を主題にした絵画や紀行文に出てきた女性たちが現実となって目の前に現れたのが、19世紀半ばから20世紀初頭の博覧会場であった。オリエンタル風のポーズをとり、腰をくねらせて官能的に踊るダンサーや高級娼婦のように豪華な装身具をつけた半裸の女性、秘められたハレムのオダリスクを連想させる女性が会場を華やかに彩った。男性客にとって彼女らは、西洋的な規範からの逸脱の象徴であり、独善的なイメージを投影する憧れの対象であり、好色な夢想を掻き立てる理想的な存在であったが、博覧会場近郊の住人が雇われて異国の女性を演じることもたびたびあった。

卑猥で多産、性に奔放というアフリカ人女性の表象もまた、植民地支配を通じて強化されたものだ。アフリカの集落を再現した〈ネイティヴ・ヴィレッジ〉では、上半身を露わにして日常生活を営む女性たちの姿がたびたび見られたが、これは日常の正確な再現というよりも男性客を意識した演出であることも少なくなかった。

博覧会場やミュージックホールなどでは、エキゾチックな身体の魅力に取り憑かれていく西洋人のまなざしをとりこんだパフォーマーも数多く登場する。有名なのは、1900年のパリ万博で一世を風靡した川上貞奴や「バナナ・スカート」をつけて半裸で踊る型が熱狂的に支持されたジョセフィン・ベイカー、男性版ジョセフィン・ベイカーのフェラル・ベンガなどだろう。

博覧会や見世物などで展示された人々の中には、自らの意志で能動的に興行にかかわっていく者も存在した。例えば、カール・ハーゲンベックの興行に協力し、自ら演出も手がけたソマリ人のヘルシ・エジェや1893年にシカゴ万博会場の「エスキモー村」で生まれた後、世界各国の博覧会や興行を渡り歩き、アメリカ映画に出演して女優になったナンシー・コロンビアなどである。

母語以外の言語や異文化の習慣を身につけることは、興行主らと出演料や条件の交渉を行ったり、演出側に回ることを可能にした。その意味で彼ら・彼女らは、自らの出自や技術を生かして興業主と契約関係・友人関係を結んだコラボレーターであると同時に演出家であり、プロフェッショナルなパフォーマーであった。このように展示対象や見世物であることと出演者であることに明確な線引きを行うことは、時として困難な場合がある。

5-01

5-01
「北オリエント一座」1892年頃、絵葉書

5-02

5-03

5-04

5-05

5-02
「植民地セクションにおけるアルジェリアの劇場」
（パリ万博、1900年）クロモカード［発行：Guérin-Boutron］

5-03
「エジプトのダンサーのタイプ、エジプト劇場（トロカデロ）」
（パリ万博、1900年）絵葉書

5-04
「ミステリアス・アジアのオリエンタルな美女、パイクにて」
（セントルイス万博、1904年）写真

5-05
「ロイ・フラー劇場における日本の劇団：芸者の死」（パリ万博、1900年）
『イリュストラシオン』同年7月8日［画：George Scott］
1900年のパリ万博では、ロイ・フラー座のこけらおとしに抜擢された川上音二郎一座による公演が行われた。公演では芸者や武士、ハラキリなど当時のパリの観客におなじみのイメージが反復された。なかでも音二郎の妻の川上貞奴は、その妖艶で鬼気迫る演技により「マダム貞奴」の通称で一躍有名になる。和洋折衷の夜会服「ヤッコ・ドレス」が流行し、「ヤッコ」の名を冠した香水が発売されるほどの人気であった。

5-06

5-07

5-08

5-06
「フォリー・ベルジェール劇場のボックス席における
ズールー族」『ル・モンド・イリュストレ』1879年11月22日
［画：M. Ferdinandus］

5-07
「フルベ族とフラニ族」（パリ植民地博、1907年）絵葉書
3人の若い女性がトップレス姿で写っているが、別の絵
葉書を見ると普段は服を着て過ごしていたようだ。彼女
たちが半裸の理由は、撮影に際して胸を出すように注
文をつけられたことによるものだと思われる。〈ネイティ
ヴ・ヴィレッジ〉の出演者は、演出上の理由のため博覧
会開催国の気候と合わない服装での生活を強いられ
る場合があった。

5-08
「ショコラとフティットによるラ・エーヴの石鹸」
1890年代、クロモカード［発行：La Hêve］
ラ・エーヴの石鹸広告に「黒人」の肌さえも白くするとい
うイメージでショコラ（本名ラファエル）と相方のジョージ・
フティットが採用されている。奴隷としてキューバから渡
欧したラファエルは、1886年にパリで道化師のショコラ
として初めて舞台に出演以降、徐々に名声を獲得して
いく。「ショコラ」という言葉は、茶色い肌を持つ「黒人」
全般を指すあだ名であったが、ラファエルの芸名として
知られるようになる。この世界初の「黒人」と「白人」の
デュオは、19世紀末のパリで人気を博した。

5-09
「ジョセフィン・ベイカー、フォリー・ベルジェール」
1920-30年代、絵葉書［写真：Walery］

アメリカ出身のダンサー・ジャズ歌手。アメリカでの活動後、1925年に「ルビュ・ネーグル」の一員としてフランスでデビュー。男性ダンサーと組んだアクロバテイックな踊り「ダンス・ソヴァージュ（野生の踊り）」で注目を集めた。翌年、フォリー・ベルジェール劇場でバナナ型の腰蓑をつけただけの姿で激しく腰を振る「バナナ・ダンス」を披露してセンセーションを巻き起こす。そのほかにもおどけた寄り目や滑稽なポーズで観客を魅了した。1931年のパリ国際植民地博の際に「植民地の女王」に選ばれるも、アメリカ出身という理由により抗議が殺到したことにより辞退する。

5-09

5-10
「フェラル・ベンガ、フォリー・ベルジェール」
1920年代、絵葉書

1906年にセネガルで生まれたフェラル・ベンガは、1925年に渡仏するとダンサーとして活動を始め、フォリー・ベルジェール劇場のスターの一人になる。1930年には、ジャン・コクトーの前衛映画『詩人の血』に出演、同時代の画家や彫刻家たちのモデルにも選ばれた。エキゾチックでセクシャルなベンガのダンスと光輝くような美しい身体が支持され、セックスシンボルとなった。

5-10

| 特定の色をした人間にしか自由をくれない自由の女神より、何も約束しないエッフェル塔の方が好き。*E　　　ジョセフィン・ベイカー

5-11

5-11
「エスキモー村の子供たち」(汎アメリカ博、1901年) 写真

5-12

5-12
「ラブラドールから来たミス・コロンビア」(アラスカ・ユーコン太平洋博、1909年) 絵葉書

5-13
「ラブラドールから来たエスキモー家族」(アラスカ・ユーコン太平洋博、1909年) 絵葉書
1893年のシカゴ万博は、コロンブスの新大陸発見400年を記念して「世界コロンビア博覧会」
と呼ばれた。会期中、「エスキモー村」でカナダのラブラドール地方からやってきたエスター・エヌ
ツィアック(左から2番目)が女児を出産した。この「万博ベビー」は、博覧会の名にちなんで「ナン
シー・コロンビア」もしくは「ミス・コロンビア」などと呼ばれるようになり、博覧会の申し子として欧
米の博覧会や興行に出演する。「エスキモー」のアイコン的な存在となったナンシーは、1911年
にアメリカ映画『エスキモーの道』に出演を果たし、俳優として活躍した。

5-13

5-14

Les Gallas au Jardin Zoologique d'Acclimatation.

5-15

THE MANNERS OF NATIVE HOKKAIDO. 北海道土人風俗熊祭り（一其）

5-16

進化したるアイヌ （アイヌ風俗）

5-14
「ジャルダン・ダクリマタシオンのガラ族」
1908年、絵葉書
ソマリ人のヘルシ・エジェ・ゴルシェ（最後列左から2番目）は、カール・ハーゲンベックと公私にわたり友人関係にあり、国内外で開催された「民族ショー」を30年以上支えた。戦闘や踊り、儀式などを盛り込んだ演劇的なショーを考案し、自らもパフォーマンスに参加した。彼は演出家であると同時に動物の調教師であり、西洋との仲介者であり、仲間を統率するリーダーであった。

5-15
「北海道土人風俗熊祭り（其一）」
（拓殖博、1912年）絵葉書

5-16
「（アイヌ風俗）進化したるアイヌ」
1920年代頃、絵葉書
1910年頃から旭川近文アイヌの酋長的な存在となった川上コヌサ（右から4人目）は、地元アイヌの協力のもと観光業による自立の道を模索した人物である。当初近文アイヌの農民化を目指したが、第7師団の旭川設置計画にともなって1899年頃から発生した近文アイヌ給与地問題が行き詰まってからは、別の道を探らざるをえなくなった。コヌサらは視察者や観光客相手のイオマンテ（熊祭り）興行やパフォーマンスを行うことで生計を立て、大正期には自宅が旭川を訪れる賓客の観光スポットになっていたという。鉄道網などの発展にともない、内地の観光客たちが北海道に訪れるようになった結果、アイヌが通う学校や集落そのものが観光地化された。やがて観光客を相手に生活するアイヌに対して「観光アイヌ」と揶揄する言葉も生まれる。

1853年の「黒船来航」をきっかけに海外に門戸を開いた日本は、万博という国際舞台にもデビューすることになる。日本製品と日本人が本格的に万博に登場したのは、1862年のロンドン万博であった。日本のスペースには、イギリス駐日公使のオールコックが私的に蒐集した品々が展示されており、開会式にはヨーロッパを訪れていた文久使節団一行が出席した。日本の展示スペースを目にした淵辺徳蔵は、「雑具」と残念がったが、現地では概ね好評であった。

1867年のパリ万博には、江戸幕府と薩摩・佐賀両藩が参加し、日本の展示スペースが初めて設けられた。しかしながら、独立したパビリオンではなく、主会場の東洋部の一画に工芸品が展示された。そのほか江戸商人の清水卯三郎によってつくられた檜造りの水茶屋とそこに出演した3人の芸者が人気を博し、連日多くの来場客がつめかけたという。芸者と茶屋を組み合わせた展示は、その後の万博でも踏襲され、欧米における日本イメージのステレオタイプを定着させていくことになる。

1867年のパリ万博を視察した渋沢篤太夫（栄一）らは、来場客のまるでモノでも見るかのような日本人への視線を感じ取っている。博覧会場においてモノのように見られるという経験は、渋沢に限ったものではなく、19世紀後半の非西洋人の記録にも時折見られるものである。世界各国の出展物がひしめく万博会場において、非西洋人は見ると同時に見られるというアンビバレントな立場に立たされていた。

明治政府が初めて公式に参加した万博は、1873年のウィーン万博である。お雇い外国人のワグネルらによって指導されたこの時の出展物は、各種工芸品をはじめ金のシャチホコ、大仏の頭の模型など巨大物が多くを占めていた。以降日本は、日本製品の宣伝と国威発揚、日本のイメージアップのために国を挙げて万博に参加していくことになる。初期の万博から日本の出展物は、継続的に高い評価を受けている。例えば、西洋社会における「日本趣味」は、1867年のパリ万博、1873年のウィーン万博を経て、1876年のパリ万博で頂点に達している。このパリ万博に出展された日本の工芸品は、西洋社会に「ジャポニズム」の流行をもたらした。

6-01

6-01
「日本展示場」（ロンドン万博、1862年）
ステレオ写真カード

6-02
「万博：日本展示場」
（ロンドン万博、1862年）
『イラストレイテッド・ロンドン・ニュース』
同年9月20日

6-03
「陸軍省が公園の英国セクションに展示した
軍需品」（パリ万博、1867年）
『イラストレイテッド・ロンドン・ニュース』
同年8月31日
第二回パリ万博には徳川昭武を将軍の名代
とした遣欧使節団が派遣された。若き渋沢栄
一がこの万博を視察している。日本が初めて
公式に参加した万博で、江戸幕府、薩摩藩、
佐賀藩がそれぞれ参加していた。最新鋭の武
器や織機、発電機、エレベーターなどが一行
を驚かせた。

6-04
「パリ万博における日本女性」
（パリ万博、1867年）
『イラストレイテッド・ロンドン・ニュース』
同年12月21日
第二回パリ万博会場内には軒に提灯をつる
した茶屋もうけられ、座敷では、すみ、かね、
さとという3名の柳橋芸者が来場客の求めに
応じて酌をしたり、茶を饗して接客を行った。
また、畳の上で鞠や独楽で遊んだり、煙管を
吸う姿も見せたという。それまで西洋社会で
目にすることのなかった日本女性の姿が珍し
がられ、来場客が軒先にひしめきあった。この
万博では、主催者側から各国に職人や芸人
の出演が要請され、幕府は陶磁器や扇子、浮
世絵、錦絵などを展示・販売した。

6-02

6-03

6-04

**1867年の博覧会を記憶している人々は、お茶を売っていた日本女性が、ゴザの上でほとんどずっと、
四つ足のかわいらしい小動物のようだったことを覚えていることでしょう。**＊F エドモン・ド・ゴンクール

6-05

6-06

6-05
「セント・マーティンズ・ホールにおける日本の曲芸師」（パリ万博、1867年）
『イラストレイテッド・ロンドン・ニューズ』同年12月21日

6-06
「パリ万博：トロカデロ公園における日本家屋の外観」（パリ万博、1878年）
『イラストレイテッド・ロンドン・ニューズ』同年6月8日

6-07
「日本館」（パリ万博、1878年）写真
シャン・ド・マルスに建てられた日本館は、「Japon」という看板が掲げられた門だけが日本風で、残りの部分は洋風建築という構造になっていた。全体が菊の紋で飾られた門の右側には日本地図が、左側には東京市の地図と人口などの各種統計が示され、それらの下には瀬戸焼の手水鉢が置かれている。

我国日本は建国以来幾千年光輝ある歴史を有せる独立自主の帝国にして、決して支那の属邦に非さるを諒解せしむるに努められたり。[G]

松方正義

6-07

6-08

「日本」（パリ万博、1878年）皿：磁器

6-09

「日本館」（パリ万博、1900年）『ル・プティ・ジュルナル』同年9月9日

日清戦争での勝利により植民地を獲得した日本は、1900年パリ万博で近代化しつつある日本イメージを発信しようと試みた。しかしながら日本は西洋諸国のパビリオンが並ぶオルセー河岸ではなく、植民地パビリオンのあるトロカデロを割りふられてしまったため、そこに法隆寺金堂を模した特別館と日本庭園をつくることになった。特別館には絵画をはじめ陶磁器、蒔絵などの古美術の名品が数多く展示された。日本館には芸者が15名参加し、踊りや長唄などを披露した。

6-08

6-09

6-10
パリ万博における日本館、1878年・1889年・1900年、クロモカード

6-11

6-12

6-13

6-14

6-11
「日本政府村の光景」
（セントルイス万博、1904年）写真

6-12
「芸者たち」
（アラスカ・ユーコン太平洋博、1909年）
絵葉書

6-13
「日本村」（アラスカ・ユーコン太平洋博、1909年）
絵葉書

6-14
「進歩の一世紀博における日本茶会館、
現地の衣装の女性たち」
（シカゴ万博、1933-34年）絵葉書
鎌倉と桃山建築の様式を取り入れたシカゴ
万博の日本館には、例によって日本庭園が
併設され、緑茶の輸出拡大を目的に日本女
性たちが茶のサービスを行った。また、国際
連盟脱退の原因となった満州をテーマにした
「満鉄館」により日本の版図拡大への理解
をうながそうとした。日本館では、日本茶と台
湾茶、蚕糸の輸出振興を図る展示が盛んに
行われた。

6-15

変手古な日本家屋の内にて余り標本的とは申し難き程の日本人が何れも迷惑相な顔をして居る工合は、日本人目からは何う考へても今日の日本を代表したものとは見えず、さりとて前世紀の日本とも思はれず、要するに日英博覧会以外にコンナ日本は世界中に之無きものに候。[H]

長谷川如是閑

6-16

6-15
「芸術家のスケッチブックから：フランク・レイノルズが見た日本展示」（日英博、1910年）『イラストレイテッド・ロンドン・ニューズ』同年7月9日
［画：Frank Reynolds］
日英博は同盟国イギリスのパートナーとしてふさわしいことをアピールし、通商貿易を活性化することを目的として、ロンドンで開催された。日本側パートには、台湾や韓国、満州に関する植民地展示を含む「東洋館」（日本の展示は含まない）や「芸術宮」「産業宮」「歴史宮」など日本の歴史や文化を紹介する各種パビリオンのほか、「美的日本（Fair Japan）」「詩的日本（Poetic Japan）」と命名された「日本村」が作られ、工芸品の実演販売やパフォーマンスが行われた。

6-16
「チュヂュイ・カロワン、頭目」（日英博、1910年）絵葉書
日英博の「台湾土人村」にはパイワン族24名が分かれて居住し、「蕃屋」のうちの2棟は彼らの手で建てられた。持ち込んだ鉄砲を来場客に触られて怒る出演者やロンドンの気候を寒がり、帰国を願い出る者もいたという。個人名付きの絵葉書を売って収入にしていたようだ。入場料は6ペンスで、11時から22時20分までの日当は2シリング。

The Bear Killer, Ainu Home, Japan-British Exhibition.

Stilt Walker, Uji Village, Japan-British Exhibition.

Pakajamoto Ruji.

Baruharu — Choco.

Feast of the Bear, Ainu Home, Japan-British Exhibition.

JAPAN-BRITISH EXHIBITION, 1910. FORMOSA HAMLET.

JAPAN-BRITISH EXHIBITION, 1910. INTERIOR RUSTIC JAPAN.

Entrance to Fair Japan, Japan-British Exhibition, London, 1910.

Japanese Wonder Workers, Japan-British Exhibition.

Iron Workers, Uji Village, Japan-British Exhibition.

Fencing in Uji Village, Japan-British Exhibition.

In Uji Village, Japan-British Exhibition.

In The Gardens, Fair Japan, Japan-British Exhibition.

Street Scene in Fair Japan, Japan-British Exhibition, London, 1910.

"Jiu Jitsu" Wrestlers.

A Street Scene in Fair Japan, Japan-British Exhibition.

6-17

日英博覧会、1910年、絵葉書

フランス植民地主義のイデオロギーに「文明化の使命」という言葉がある。進んだ国が遅れた国を導き、文明の恩恵を受けさせる使命があるという帝国主義時代のレトリックである。イギリスの作家、ラドヤード・キプリングが1899年に使用した言葉「白人の責務」と並び、植民地拡張を正当化する強力な語彙となった。これらの言葉は、西洋的価値観を優越的ポジションに置き、その他の地域を劣位に位置づけることで、両者を序列化するものである。人間社会が「未開」から「文明」へと進歩的に発展していくという社会ダーウィニズムが説得力を持っていた当時、西洋文明の勝利を謳う祝祭空間として機能したのが博覧会であった。そこでは開催国の「進歩」や文化レベルの高さを示す出展物・建築物と植民地住民の「野蛮」な生活様式を再現しようとした〈ネイティヴ・ヴィレッジ〉というコントラストが強調された。

例えば、1893年のシカゴ万博では、ローマ風の白亜のパビリオン群が整然と立ち並ぶ壮麗な「ホワイト・シティ」に対し、〈ネイティヴ・ヴィレッジ〉と各種娯楽施設とが混在する「ミッドウェイ・プレザンス」の喧騒は、対照的なコントラストを見せていた。

西洋諸国が植民地獲得にしのぎを削っていたこの時代、特定の非西洋人を奇異な風習を持ち、西洋人を襲う「野蛮人」といったステレオタイプで表象し、流布させたのは、博覧会や見世物小屋だけでなく、雑誌や大衆新聞、教科書、広告、冒険小説、旅行記、地図などの印刷媒体であった。人々は冒険家たちが「暗黒大陸」や「魔境」で凶暴な「首刈り族」や人身供犠を執り行う野蛮な王に出会う物語に夢中になり、フランスでは、ジュール・ヴェルヌのような国民作家も誕生した。とりわけ「食人種」や西洋人を襲う「野蛮人」は、西洋人の否定的他者として卑しめられた存在であった。

1933年のシカゴ万博の「進歩の一世紀」というテーマが示すように、「進歩」は20世紀に入っても万博の通奏低音の一つであり続けた。「文明」を担う西洋は、現在と未来に配置され、「未開」と「非文明」を背負わされた非西洋は過去へと腑分けされる。そして、西洋的な「進歩」の物差しにしたがってその外側の「異文化」は過去から未来へと至る単線的な時間軸上に配置されるのである。為政者たちが

Amazons of the Dahomey Village, World's Fair, Chicago, U. S. A.
Amazonas de la Aldea de Dahomey, Exposicion Universal, Chicago, E. U. A.

7-02

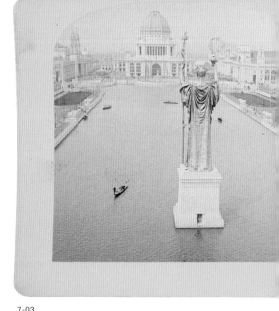

7-03

植民地拡張についての国民からの支持を得て、その支配を無罪化するためには、遅れた「野蛮人」を「文明化」するという「善」なるものとしての植民地支配が強調されねばならなかった。このように「文明化の使命」という御都合主義的なレトリックに依拠すれば、人道主義や共和主義と植民地主義とは矛盾することはない。

7-01
「植民地宮、テルヴューレン」（ブリュッセル万博、1897年）絵葉書

7-02
「ダオメー村のアマゾネス」（シカゴ万博、1893年）
ステレオ写真カード［発行：Underwood & Underwood］
シカゴ万博会場では、ダオメー村の「アマゾネス」が「われわれは遙か遠方の国から真っ白な人間たちの土地にやってきた。もしお前たちがわれわれの国に来たら、その白い喉を喜んでかき切ってやる」と叫びながら練り歩いていたという。彼らはシカゴ万博関連の印刷物の多くで「野蛮人」や「未開人」として紹介されている。

7-03
「至上の栄誉の中庭」（シカゴ万博、1893年）
ステレオ写真カード［発行：B. W. Kilburn］

7-04
「星条旗よ、長きにわたり翻らん」（シカゴ万博、1893年）
ステレオ写真カード［発行：B. W. Kilburn］」
「ホワイト・シティ」の「栄誉の中庭」にある人工池には、フレデリック・ウィリアム・マクモニーズによる彫像「コロンブスの噴水」が設置されていた。「名声」を意味するギリシア神話の女神ペーメーに導かれた船が芸術や科学、産業、農業などを体現する8人の漕ぎ手とともにコロンブスを乗せて未来へと前進する姿が表現されている。岸には古代ローマ風の列柱と「共和国の像」が配置され、ローマのごとく領土を拡大する共和国・帝国像が示唆されていた。夜間は白熱灯やアーク灯で華やかに飾られた。

e crowning glory of the Basin, Columbian Exposition.

Copyright 1896, by B. W. Kilburn

8013. Lc

7-04

7-05

7-06

7-05
「類似性の保証」（パリ万博、1878年）
クロモカード［発行：Bon Marché］

7-06
「未知の国への出発」（パリ万博、1878年）
クロモカード［発行：Bon Marché］

7-07
「ニカラグア館」（パリ万博、1889年）写真
万博会場には1889年のパリ万博時のエッ
フェル塔や1893年シカゴ万博時の観覧車
「フェリス・ホイール」に代表されるような動
力装置付きの鋼鉄製巨大建造物がつくられ
た。これらは西洋文明の力を見せつけんばか
りに会場に屹立し、万博のランドマークとして
仰ぎ見られた。

7-08
「アールズ・コートにおける「野蛮な南アフリカ」：
ネイティヴをのぞき見」『グラフィック』
1899年6月24日［画：William T. Maud］

7-07

7-08

今の風の状態ではダオメー王国のほうに流されていく。これはもっとも危険な国で、祭の日には何千人という捕虜の首をはねる
王の意のままに、住民たちは動かされているのである。そこで捕まったらおしまいだ。[1]

ジュール・ヴェルヌ

EXPOSITION UNIVERSELLE DE PARIS 1900

PALAIS
de l'Électricité

B. SIRVEN, IMP. ÉDIT. TOULOUSE-PARIS

7-09

「パリス」に来て見れば其繁華なること是亦到底筆紙の及ぶ所に無、之就中道路家屋等の宏大なること馬車・電気・鉄道・地下鉄道の網の如くなる有様、寔に世界の大都に御座候。[*]

夏目金之助

7-09
「電気宮」（パリ万博、1900年）絵葉書
［発行：B. Sirven］
1900年のパリ万博では、イルミネーションや動く歩道のような電気の力が前景化され、「電気宮」というパビリオンが登場した。夜間、電気宮に設置された彫像「電気の精」やステンドグラスが照明で照らされ、建物全体が宝石を散りばめられたように光輝いていた。

7-10
「地上最大のホイール（直径240フィート）と最も重い車軸（56トン）」
（セントルイス万博、1904年）
ステレオ写真カード
［発行：Underwood & Underwood］

7-11
「クーリエへの襲撃」
（パリ植民地博、1907年）絵葉書

7-10

EXPOSITION COLONIALE 1907. — L'Attaque du Courrier.

7-11

「人間のタイプと発展」J・W・ビュエル編『ルイジアナと博覧会』1904年［発行：World's Progress Publishing Co.］
セントルイス万博の公式記録集に収録された挿絵。世界の諸民族の位階が描かれており、最上位は「アメリカ・ヨーロッパ人」で、2番目がロシア人、
着物の女性姿で描かれた日本人は3番目、アイヌは下から3番目に位置付けられ、最下位は「先史人」とされている。セントルイス万博は日露戦争の
最中に開催されたため、日本は国際的な地位を上げるべく展示の充実に尽力した。

7-12

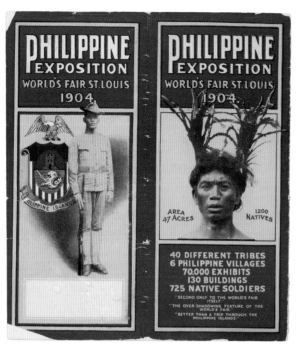

7-13

7-14

7-14
「フィリピン人兵士のパレード、セントルイスの広場」（セントルイス万博、1904年）ステレオ写真カード［発行：C. H. Graves］

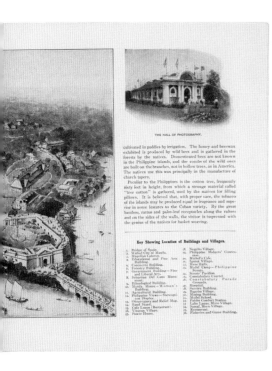

7-13

「フィリピン展」（セントルイス万博、1904年）
パンフレット

セントルイス万博では47エーカーという広大な土地に1200人以上が居住する「フィリピン村」がつくられた。パンフレットの表紙と裏表紙には軍服のフィリピン人兵士の全身像とイゴロット族の若者の顔のクローズアップが並置されており、兵士の側にはアメリカの国鳥ハクトウワシなどが描かれている。ジメジメして不衛生な場所にあった「フィリピン村」とは対照的に工業館や電気館などのパビリオンが立ち並ぶ壮麗な広場では、真新しい制服に身を包んだフィリピン人兵士たちによるパレードやオーケストラ演奏が行われた。

7-15

『イゴロット村』（セントルイス万博、1904年）
［発行：Philippine Photograph Co.］

セントルス万博の「イゴロット村」を紹介する土産用写真集。内容は犬を料理して食べるプロセスの写真でほとんどが占められている。この屠殺ショーは、万博で最も人気のあったイベントの一つで、会期中コンスタントに行われたが、本来は儀式的な目的のためにたまに食するのみであった。「フィリピン村」の住民は、序列化され、イゴロット族やネグリト族は下位に位置付けられていた。

7-15

7-16

「教育されたアラスカのエスキモー、カーライル大学の卒業生」
（アラスカ・ユーコン太平洋博、1909年）絵葉書

7-17

『ア・ラ・パージュ』（パリ国際植民地博、1931年）同年6月18日
博覧会場の大通り「フランス植民地通り」の中心部には、カトリックとプ
ロテスタント宣教師団のパビリオンがつくられ、世界各国の植民地にお
ける宣教活動の成果や現地の文化についての展示が行われた。展
示内容は、概してキリスト教が現地社会にもたらした「恩恵」をアピー
ルするものであった。植民地に送り込まれた宣教師たちは「文明化」
の美名のもとにキリスト教の「伝道（mission）」を行った。

7-16

7-17

EXPOSITION COLONIALE INTERNATIONALE — PARIS 1931

219 GROUPE D'INDIGÈNES

7-18

7-18
「原住民のグループ」
(パリ国際植民地博、1931年) 絵葉書
ニューカレドニアから来た70名ほどのカナック人は、パリ国際植民地博会場と隣接するジャルダン・ダクリマタシオンに居住しながら、博覧会開場前から「食人ショー」やダンスなどのパフォーマンスを行った。エージェントによりハーゲンベック動物園に貸し出された組とフランスに残留した組に分かれたが、批判の高まりを受け、博覧会での「食人ショー」は中止された。

7-19
「民族ショーから：南洋島から来た食人種」
1931−32年、絵葉書

Aus der Völkerschau der **Kannibalen**
von den Südsee - Inseln

7-19

19世紀後半にパリとロンドンを中心に成立した人類学は、当初「人体測定学（anthropometry）」と呼ばれたように、人体の計測を主な課題としていた。パリ人類学会の設立者であるポール・ブロカは、フランスの実証主義的な人類学の指導的地位にあった人物で、頭蓋骨の形や突額の有無といった身体的特徴を「人種」の優劣と関連づける研究で知られていた。それは頭蓋容量が大きいほど知的能力が高いなどという疑似科学的な尺度をベースにして、「白人」を最上位に、「黒人」を最下位に位置付けよう試みるもので、人間を個人としてではなく、標本のようにまなざし、比較し、序列化する研究であった。

1859年にブロカとともにパリ人類学協会を設立した人口統計学者のルイ＝アドルフ・ベルティヨンの息子にアルフォンス・ベルティヨンがいる。ブロカのもとで人類学を学んだ後、パリ警視庁の係官となったベルティヨンは、1882年に身体の各部位の寸法によって犯罪者の身元を割り出す「ベルティヨン式人体測定法」をパリ警視庁に採用させた。

特定のスケールと角度により身体を厳密に撮影する「計測写真」の方法は、人類学調査にも応用された。ピエール＝ナポレオン・ボナパルトの息子であるロラン・ボナパルト王子は、白地の背景の前に座らせたネイティヴを真正面と真横から1人につき2枚ずつ撮影した写真を数多く残している。1904年のセントルイス万博では「人類学部門」が設けられ、展示責任者のウィリアム・ジョン・マクギーやフレデリック・スターら人類学者が関わった。それまでの万博で前例のないほど大規模な〈ネイティヴ・ヴィレッジ〉がつくられただけでなく、そこに居住するネイティヴらの骨格を調査するために石膏によるライフマスクや「計測写真」も残された。人類学者たちは、展示の真正性を確保するためにネイティヴの服装にも気を配り、会場内の建築物は彼ら自身の手で現地そっくりに再現させている。

セントルイス万博とセントルイスオリンピックの会期が重なった1904年8月12日から13日にかけて、両イベントに関連して「人類学の日」と呼ばれる競技会が開催された。人類学者たちは、〈ネイティヴ・ヴィレッジ〉内の男性を競技に参加させることでそれぞれの「人種」の身体能力を計測・比較しようと試みた。このイベントには関係者や観客が見守るなか、アーチェリーや槍投げなど、18種の競技が行われ、日本からはアイヌが参加した。世界中のモノや人が一堂に会する万博の開催は、こうした研究だけでなく、その後の博物館設立の契機となったり、コレクションの充実につながったのである。

8-01

8-01
「ジャルダン・ダクリマタシオンにおける赤皮膚：テントの内部」
『イリュストラシオン』1883年11月10日 ［画：E. Tilly］

8-02
ロラン・ボナパルト「ハード・シェフ」1883年、写真
1883年、ロラン・ボナパルト王子は、アメリカ・ネブラスカ州の居留地からジャルダン・ダクリマタシオンに来ていた「オマハ・インディアン」らを撮影した。これらの写真は、『赤皮膚』と題されたポートフォリオにまとめられ、翌年に関係者に送付された。同年、スカンジナビア半島北部への遠征隊を組織し、「ラップランド人」（サーミ人）の撮影と人体計測と撮影を行っている。ボナパルト王子は自身の撮影した写真を1889年のパリ万博に出品したり、会場でネイティヴの撮影を行った。

8-03
ロラン・ボナパルト「イエロー・スモーク」1883年、写真

8-02

8-03

一般に脳は、老人よりも壮年に達した大人の方が、女性より男性の方が、普通の能力の人より傑出した人の方が、劣等人種より優秀な人種の方がそれぞれ大きい。*K

ポール・ブロカ

8-04

8-04
「W・J・マクギーとパタゴニア人の一団」J・W・ビュエル編
『ルイジアナと博覧会』5巻、1904年
［発行：World's Progress Publishing Co.］

8-05
「弓技を競うアメリカ・インディアンたち」
（セントルイス万博、1904年）写真

8-06
「ヴィサヤ族、フィリピン村」
（セントルイス万博、1904年）ステレオ写真カード

8-05

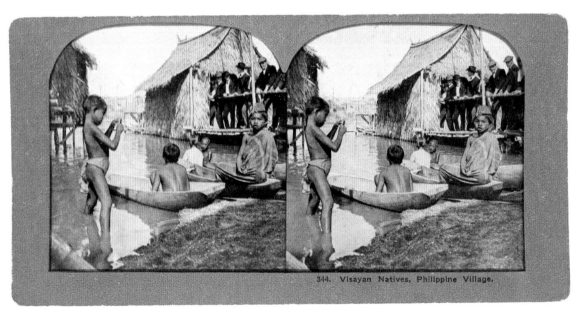

344. Visayan Natives, Philippine Village.

8-06

THE HAIRY AINUS FROM NORTHERN JAPAN.
COPYRIGHTED 1904 LOUISIANA PURCHASE EXPOSITION CO

8-07

8-07
「日本の北部から来た毛深いアイヌたち」
（セントルイス万博、1904年）写真

8-08
フレデリック・スター
『セントルイス万国博覧会におけるアイヌ・グループ』
1904年［発行：The Open Court Publishing Company］
W・J・マクギーの依頼によりセントルイス万博の「アイヌ
村」の出演者を探すために来日したフレデリック・スター
の著作で、万博会期中に出版された。「アイヌの父」と
呼ばれた宣教師ジョン・バチェラーの協力をとりつけた
スターは、北海道で9名のアイヌを集めた。本書には東
京や北海道をめぐる旅の道程やアイヌの文化などにつ
いて書かれている。

8-08

8-09

8-09

セントルイス万博、1904年、ステレオ写真カード

第五回内国勧業博覧会と学術人類館

1903年に大阪・天王寺で開催された第五回内国勧業博覧会の開場に遅れること10日、「学術人類館」という施設が正門前に開館した。日本の博覧会で初めて〈人間の展示〉を行った施設であったが、博覧会協会による公式パビリオンではなく、民間業者による場外余興であった。「人類館設立趣意書」によれば、そのきっかけは、万博における〈ネイティヴ・ヴィレッジ〉を知った大阪の有志の間で「人類館」と称する施設を設置しようという動きが起こり、発起人の西田正俊が東京帝国大学理科大学教授の坪井正五郎に協力を依頼して実現させたものであった。人類学の普及を期待した坪井と学術的なお墨付きを求めていた西田の利害が一致したのだろう、坪井は展示品として「世界人種地図」の制作に着手、人類学教室の収蔵品の貸与を決め、松村瞭を展示のため大阪に派遣する。坪井はヨーロッパ留学中に1889年のパリ万博を訪れ、屋外につくられた大規模な〈ネイティヴ・ヴィレッジ〉を実見していたこともあり、将来的な万博開催時には、欠くことのできない施設だという認識を持っていた。しかしながら、「人類館」の船出は前途多難であった。「人間の観世物」のように思われてはいけないと懸念した主催者側は、開館直前になって名称を「学術人類館」と変更した。また、清国から抗議があり、外交問題に発展しそうになったため、清国人の展示は、開館前に中止された。開館後にも大韓帝国と沖縄から抗議があったため、それぞれの展示も場当たり的に取り下げられた。なかでも『琉球新報』の抗議は苛烈で、連日のように反人類館キャンペーンが張られた。沖縄県人を「生蕃アイヌ視」するとは、「我に対するの侮辱」だとする社説には、内地と外地の狭間で揺れ動いた近代沖縄の屈折が垣間見える。こうした抗議に晒されたにもかかわらず、人類館自体は内国博の会期終了まで存続した。

8-10

8-10
「第五回内国勧業博覧会会場」（第五回内国勧業博、1903年）写真

8-11

8-12

8-11
「台湾館」（第五回内国勧業博、1903年）絵葉書

8-12
「台湾婦人（台湾館）」
（第五回内国勧業博、1903年）絵葉書

8-13
『北海道土人風俗画』1903年［発行：人類館］
アイヌの儀礼や風俗を写した写真と地図、絵からなる10枚の紙片が、第五回内国勧業
博の正門やアイヌの道具などが描かれた袋に入れられている。日本語と英語で説明が
つけられ、発行元が「学術人類館」ではなく「人類館」とされていることから、アイヌ文化
を広く周知するために開館前から用意されたものだと考えられる。

8-13

8-14
「学術人類館（アイヌ、生蕃ほか）」（第五回内国勧業博、1903年）写真

8-15
「学術人類館（ザンジバル、トルコ）」（第五回内国勧業博、1903年）写真

8-16
「学術人類館（ジャワ）」（第五回内国勧業博、1903年）写真

8-17
「学術人類館（インドキリン族）」（第五回内国勧業博、1903年）写真

8-14

8-15

8-16

8-17

他府県に於ける異様の風俗を展陳せずして、特に台湾の生蕃、北海のアイヌ等と共に本県人を撰みたるは、是れ我を生蕃ア
イヌ視したるものなり。我に対するの侮辱、豈これより大なるものあらんや。[L] 　　　　　　　　　　　　　　　『琉球新報』

8-18

8-18
「生蕃、ギリヤーク、オロチヨン、樺太アイヌ、北海道アイヌ各種族」（拓殖博、1912年）絵葉書
拓殖博覧会の「土人部落」に出演したのは「台湾台北土人」2人、「台湾屈尺蕃ウライ社蕃人」5人、「樺太オタサムアイヌ」4人、「ギリヤーク」3人、「オロツコ」1人、「北海道日高アイヌ」3人であったようだ。後列右から5番目が坪井正五郎。

8-19
「拓殖博覧会に於ける帝国版図内の諸人種」（拓殖博、1912年）絵葉書
［写真：鳥居龍蔵］［発行：東京人類学会］

8-19

8-20

8-21

8-22

8-20
「台湾タイヤル種族男子（桃園應テーリツク社）」1912年、絵葉書 [写真：鳥居龍蔵]［発行：東京人類学会］

8-21
「台湾タイヤル種族男子（宜蘭應ピヤハウ社）」1912年、絵葉書 [写真：鳥居龍蔵]［発行：東京人類学会］

8-22
「世界人類風俗人形、台湾蕃人（男）」1910−13年
[博多人形：井上清助][選定：坪井正五郎・松村瞭]
博多人形師の井上清助の手で制作された「世界風俗人形」シリーズのなかの一体。アジア・ヨーロッパ・アフリカの地域から選ばれた男女の人形（例えば内地の「日本人」や「琉球人」「アイヌ」「朝鮮人」など）がある。「生蕃」の人形は、坪井正五郎の弟子の鳥居龍蔵が1912年に東京帝国大学理科大学で撮影したタイヤルの複数の写真を参考にして制作されたと思われる。

8-23
「南洋土人の吹き矢」（東京大正博覧会、1914年）絵葉書
「南洋館」では南洋諸島や東南アジアから来たジャワ人、ベンガル人、マレー人、サカイ人などが踊りや吹き矢などのパフォーマンスを行い、一部の出演者は「食人種」と紹介された。また、ラクダやトラなど現地の動物や生活を紹介した模型も展示された。人類館の展示にも関わった松村瞭は、「南洋館」に出演したサカイ人4名の身体計測を行った。

8-23

9章 | 異文化との接触

大航海時代にヨーロッパから南北アメリカ大陸に持ち込まれた伝染病により、ネイティヴが激減したように、人々の移動は、さまざまな感染症のリスクを伴うものであった。欧米の博覧会に動員された人々のなかには、居住地からの移動が原因で命を落とした者もいた。例えば、1897年のブリュッセル万博に連れてこられたコンゴ人や1904年のセントルイス万博におけるフィリピン人などである。

博覧会では、来場客と出演者間の物理的接触を避けるために両者の間には柵やフェンスが設けられたり、警備員が配置されるという対応がなされることがあった。これらは相互の安全を守るためであると同時に、ネイティヴに持ち場を守らせたり、自由な移動に制限を加えるような監視機能を果たしていたとも言える。また、感染症対策として予防接種が行われることもあったが、寒暖の差や慣れない環境での生活、長距離移動は、彼らの健康に大きな影響を与えた。

博覧会出演のために故郷を離れた人々は、異国の地で来場客や別の国々から集められてきた人々と出会い、交流する立場に投げ込まれた。来場客との接触のなかには、罵声や暴力、嘲笑などを受けたり、動物に餌を与えるような扱いを受けるなど、生物学的人種主義を背景にしたネガティヴな行いもあったが、互いに交流したり、遠隔地のネイティヴ同士が出会うような文化的な接触の場になることもあった。会場で撮影された写真のなかには、開催国で手に入れたと思しき衣服を身につけて写っている者も少なくない。

音楽家のクロード・ドビュッシーや画家のアンリ・ルソー、演劇家のアントナン・アルトーらがパリの博覧会場につくられた〈ネイティヴ・ヴィレッジ〉から受けた影響を自作へ反映させていったことは、よく知られている。博覧会の出演者たちは、博覧会を通して西洋社会（あるいは日本の内地）を体験したのであり、その意味においては、見る側と見られる側とは、簡単に線引きできるものではなかった。開催地の来場客もまた、出演者たちのまなざしの対象であった。

9-01
「万博会場における日本使節団」
（ロンドン万博、1862年）
『イラストレイテッド・ロンドン・ニューズ』
同年5月24日
西洋諸国と交渉を行うべく江戸幕府から派遣されて渡欧した文久使節団の一行は、ロンドン万博の開会式に出席した。会場を視察した彼らは、極東の国からやってきた奇妙ないでたちをした一団として注目を集めた。この使節団には福澤諭吉が通訳として参加していた。

9-01

9-02
「ジャワの演奏者と楽器」
(パリ万博、1889年) 写真
パリ万博の会場ではそこかしこで異国情緒あ
ふれる音楽が演奏されていた。「ジャワ村」の
なかではガムランの演奏家たちがアンクルン
(竹製の打楽器)やクンダン(太鼓)を鳴らしな
がら練り歩き、踊り子たちが舞踊を見せた。会
期中この場所で多くの時間を過ごし、その音
楽に影響を受けたドビュッシーが自作にジャ
ワの音階を取り入れたとされている。

……私は、かの地に仕事を探しにゆくわけでも、そうした口をあなたに世話するためにゆくのでもない。私が作ろうとしているの
は、熱帯のアトリエだ。いずれ手に入る金で、万国博覧会であなたが見たような小さな田舎家を買うことができる。土と木ででで
きていて、屋根はわら葺きだ(町の近くではあるが、田舎にある)。ほとんどただ同然で買えるんだよ。*M　　　　ポール・ゴーガン

9-03

9-04

9-03
「エスプラナード・デ・アンヴァリッドにおける
カナック村」（パリ万博、1889年）
『ル・モンド・イリュストレ』同年7月27日
［画：M. Louis Tinayre］

9-04
「遅れた人たちと言うけど、私たちと同じ帽子を
被って最新流行の髪型をしているわ」
（パリ万博、1889年）
クロモカード［画：Draner］
［発行：Maison de la Belle Jardinière］

9-05
「アシャンティ村：
フランス産ビール万歳！」1903年、絵葉書

9-05

9-06

「エキゾチックな人々：ジャン・シャルコー医師が
シンハラ人にワクチンを打つ」（パリ万博、1900年）
『ラ・ヴィ・イリュストレ』同年4月13日

9-07

「黒人村にて。ワクチン接種」（オルレアン博、1905年）
絵葉書

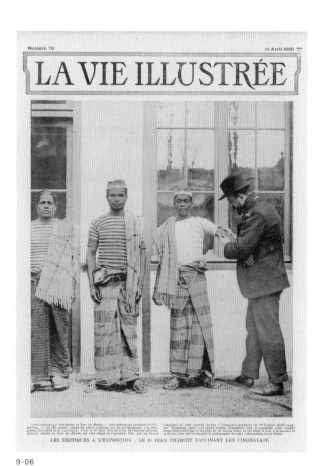

9-06

9-07

9-08

「テルヴューレン：コンゴ人の墓」
1900年代頃、絵葉書

1897年のブリュッセル万博では、ブリュッセ
ル郊外のテルヴューレン公園内の池の近くに
コンゴの〈ネイティヴ・ヴィレッジ〉がつくられ
た。レオポルド二世の私有地であったコンゴ
自由国から強制連行された267人が会期中
フェンスに囲まれた村で暮らし、1日に数万人
も訪れることがあった。会期中7名が病死し、
公園内に西洋式の方法で葬られた。

9-08

9-09

9-10

9-09
「タバコを吸うイゴロット族の若者」（セントルイス万博、1904年）写真

9-10
「洋装のアメリカ・インディアン」（セントルイス万博、1904年）写真

9-11
「フランシス会長とカナダ首相ウィルフリッド・ローリエ卿を背にしたセントルイス万博の各国代表の子供たち」
（セントルイス万博、1905年）ステレオ写真カード ［発行：H.C.White］

9-11

9-12

9-13

9-12
「踊るイゴロット族」（セントルイス万博、1904年）写真
イゴロット族らがセントルイスに到着した時期は、まだ寒かったため、背景に見える2階建ての建物が彼らの一時的な住居となったという。熱帯のフィリピンからの急激な環境の変化や衛生問題により、移動中や滞在中に病者や死者を出した。

9-13
「セントルイス万博におけるフィリピン村にて。
『さぁ、この子はどうしたんだい？』」（セントルイス万博、1904年）
『タトラー』同年7月20日［画：Tom Browne］

汝ら最新の流行に花の如く美に、蝶の如く軽く、外見を美にする米国婦人よ、汝等が残忍なりとするこの尖歯の黒人よりも、彼等のよわきと小さきと所謂「文明」なるものに、尚触れざるに乗じて彼等を愚弄してよろこぶ汝等こそ、遙に彼等にまさりて残忍なれ。[N]
　　　　　　　　　　　　　　　　　　　稲垣陽一郎

9-14

札幌に戻るとすぐに、ベテ・ゴロウが私たちと一緒に何としても行きたがっているということを知ったが、彼を連れて行くことはためらわれた。五郎は若く、髭を剃り、日本風とはいわないまでも西洋風の服を着ているのだ。[*0]

フレデリック・スター

9-15

9-14
ジェシー・ターボックス・ビールズ「アイヌの家族と2部屋の小屋」
（セントルイス万博、1904年）写真
イギリス人宣教師のジョン・バチュラーのもとで働いていた辺泥五郎
（右から4番目）は、普段は洋装のクリスチャンであったが、別の写真（p.
71）には、アイヌの民族服を身につけ、髪や髭も伸ばした姿が確認でき
る。彼らはセントルイス万博を機に現地の人々や他の国々から来た出
演者たちと交流を行ったという。この写真では、背景に写り込んでい
たはずの電線などが修整によって消されている。

9-15
「フィリピンから来たイゴロット族の子供とアラスカから来た
エスキモーの子供」（アラスカ・ユーコン太平洋博、1909年）絵葉書

9-16

内地の兵営や学校の多数は人のゐる所を見せたり器械や電気の力なぞを見せたら、きつと反抗心が真に失せると思ふ。*P

『読売新聞』

9-17

9-18

9-16
「台北蕃帽子製造及蕃婦之手仕事」
（明治記念拓殖博、1913年）絵葉書
大阪・天王寺で開催された明治記念拓殖博覧会会場で工芸品を作る様子を見せる「生蕃」の家族。製紙用原料として展示されていた木々の前で内地の下駄や股引きを履いて作業しており、民族服とのハイブリッドになっている。警官が監視・警備に当たっていた。

9-17
「台湾生蕃観光団の一行。歩兵第三連隊参観」
1912年頃、絵葉書
「内地」の軍事施設の見学に訪れた観光団一行。内地観光団は、日本の植民地支配に抵抗を続ける台湾原住民を威圧・懐柔する目的で考案された事業で、軍事演習や工場、大学、近代的建築物などを訪れた。首狩りの風習で知られていた「生蕃」を見ようと子供たちが集まっている。見物人の群衆に囲まれ、進むのも困難になることもあったという。

9-18
「浜松市全国産業博覧会出演
台湾アミ族生蕃内地見学団」（浜松市全国産業博、1931年）
絵葉書のタイトルからは、「内地見学団」に参加した台湾のアミ族が博覧会のパフォーマーとして出演し、見られる側にもなるというアンビバレントな立場にあったことがうかがえる。

万博において独立した娯楽区域が最初に設けられたのは、1893年のシカゴ万博である。万博会場となったジャクソン公園とワシントン公園をつなぐ大通り「ミッドウェイ・プレザンス」には、大観覧車の「フェリス・ホイール」をはじめとしたアトラクション類が軒を連ねていた。ほかにも異国の集落や街路を再現した〈ネイティヴ・ヴィレッジ〉や飲食店、劇場、土産物屋、動物ショーなど雑多な施設が渾然一体としており、全長1マイルのミッドウェイ・プレザンスを端から端まで歩けば、世界旅行をした気分を味わうことができた。

シカゴ万博に続き、1900年のパリ万博と1904年のセントルイス万博でも娯楽的な要素が大胆に導入された。セントルイス万博会場の北端の「パイク」と呼ばれる通り沿いには、細長い娯楽区域がつくられ、シカゴ万博と同じ名前の大観覧車と古今東西の街や集落をテーマにした〈ネイティヴ・ヴィレッジ〉が並んだ。来場客は路上や劇場で行われている踊りや曲芸、戦闘ショーなどを目にしながら、異国だけでなく過去のヨーロッパを旅する気分を味わうことができた。

この頃の博覧会では観覧車や鉄道、動く歩道、エスカレーター、エレベーターのような近代的な移動装置がアトラクション的に受容された。20世紀に入り、国家だけではなく企業が博覧会を主催することが増えるにつれ、集客と宣伝のためよりいっそう博覧会場の娯楽色が強まり、〈ネイティヴ・ヴィレッジ〉の入場門も正確な再現よりも人目を引くことを優先した建築物が増えていく。また、小さな住居が立ち並ぶ「小人村」や女性のヌードを見せるイベントもたびたび登場した。

博覧会場だけでなく、パリのオルセー河岸にあった娯楽施設マジック・シティやニューヨークのコニー・アイランドのルナ・パークでも〈ネイティヴ・ヴィレッジ〉がつくられ、都市住民はいつでも近郊でエキゾチックな雰囲気を楽しむことができた。1900年代にオープンしたこれらの施設は、博覧会の娯楽地区を常設化したようなアミューズメント・パークとして人々の憩いの場となった。

10 - 01

10 - 02

PRINCE POMIUK

OVER

WM. C. HOLLISTER & BRO., PRINTERS, CHICAGO.

10-03

10-04

10-01
「椅子籠でミッドウェイを行く」（シカゴ万博、1893年）
ステレオ写真カード［発行：B. W. Kilburn］

10-02
「シカゴ万博の外観」（シカゴ万博、1893年）
ステレオ写真カード
［発行：American and Foreign Views］
ミシガン湖畔につくられたシカゴ万博の会場へは都心
から高架電気鉄道を利用することができ、685エーカー
の広大な敷地を線路がぐるりと囲むように通されてい
た。後景のドーム状の建物はアメリカ政府館で、前景に
は駅と線路が見える。

10-03
「ポーミューク王子」（シカゴ万博、1893年）広告カード
「エスキモー村」の広告カード。裏側には25セントでハー
ネスのついたトナカイや犬ぞり犬、カヤック、アザラシのテ
ントなど彼らの生活を再現した様子が見られるとある。

10-04
「ミステリアス・アジアの路上の光景」
（セントルイス万博、1904年）写真
セントルイス万博の娯楽地区「パイク」には、「ミステリア
ス・アジア」や「カイロ通り」が設けられ、ラクダやゾウな
どを操る人々が闊歩した。また、セクシャルな女性の踊り
や音楽の演奏、奇術、動物ショーなどのパフォーマンスも
行われ、来場客で賑わった。そのほか大観覧車や「シベ
リア鉄道」、回転プール、ウォーターシュートといった各種
アトラクションもあった。

10-05

10-06

10-07

10-08

10-05
**「混雑した「パイク」にて休日の群衆を
楽しませる乙女たち」**（セントルイス万博、1904年）
［発行：Underwood & Underwood］

10-06
「「ペイ・ストリーク」のイゴロット村」
（アラスカ・ユーコン太平洋博、1909年）絵葉書

10-07
「アイヌの家の入口」（日英博、1910年）
アイヌの伝統的な建築様式とは乖離した砦の
ようなつくりになっている。入場料6ペンスの
看板が見える。様々な娯楽が競合する博覧会
場では、現地建築の高い再現性よりもアトラク
ション色の強い広告塔としての役割が重視さ
れることがあった。

10-08
「小人村」（シカゴ万博、1933年）絵葉書

10-09

10-10

10-11

10-12

10-13

10-14

10-15

10-12
「マジック・シティ、アルマ橋。イゴロットの市役所」1911年、絵葉書

10-13
「マジック・シティ、パリ。ダンカリ村」1911年、絵葉書

10-14
「マジック・シティ土産。コーカサスの最も小さい小人。
イヴァン・ニコライ、バロン・ニコライ」1911年、絵葉書

10-15
「ルナ・パーク、パリ。カイロ通りの一角」1910年代、絵葉書

10-16

10-16

「パリ通り」（シカゴ万博、1933年）写真

1933年のシカゴ万博では、1893年と同じ「ミッドウェイ」の名を冠した娯楽区域がもうけられた。「小人村」やフリークショーを行う劇場、恐竜の模型、サーカス、「オリエンタル・ヴィレッジ」といったアトラクションが軒を連ねた。「パリ通り」では料金を払うと女性「ヌーディスト」たちの絵を描くことができたが、問題視もされた。

10-17

「イッツ・ア・スモール・ワールド」

（ニューヨーク国際博、1964-65年）写真

「イッツ・ア・スモール・ワールド」は、ニューヨーク国際博にユニセフがペプシコーラの提供のもと出展したパビリオン。ウォルト・ディズニーが制作を担当した。世界各国の少年少女をモデルにしたオーディオアニマトロニクス（音に合わせて動く電動式の人形）が歌い踊る中を船に乗って旅するという内容で、人形が歌うのは、シャーマン兄弟によるテーマソング「小さな世界」。このパビリオンは万博終了後、ロサンゼルスのディズニーランドに移築された。博覧会における〈ネイティヴ・ヴィレッジ〉は、「イッツ・ア・スモール・ワールド」や「アドベンチャー・ランド」などのアトラクションに形を変えて世界中で親しまれている。

10-17

1889年のパリ万博では、「カイロ通り」というエジプトの街並みを再現した〈ネイティヴ・ヴィレッジ〉が登場した。現地の風景をそのまま切り取ってきたかのようなエキゾチックな風景は大評判となり、その後の博覧会でも繰り返しつくられるようになる。同パリ万博で登場したアンコール・ワットもまた、娯楽色を強めたり、再現性を高めたりしながら幾度となく複製され続けた。

19世紀に発明された博覧会の〈ネイティヴ・ヴィレッジ〉と写真は、ともに遠隔地の部分的な再現という意味において近親性がある。両者とも本来の文脈から切り離し、移動させることで、都合のいい他者イメージをつくりあげてきた側面がある。そして危険を冒すことなく「ここではないどこか」を「いま・ここ」でリアルに体験するという意味では、同

じ19世紀末に人気を博したジオラマや幻燈、シネマトグラフなどとも共通している。この頃、大衆の遠方への欲望は、非西洋諸国の風景をそのまま切り取り、身近なところに移動させる〈ネイティヴ・ヴィレッジ〉によって沸点を迎えていたように見える。

博覧会と同じく写真もまた絶えず自己複製を繰り返してきたメディウムだろう。それが石版画や新聞、雑誌、絵葉書という複製化を経てさらに遠くにまで転送され続けたのである。その意味で〈ネイティヴ・ヴィレッジ〉の写真とは、複製の複製と言えるものだ。そして、幾度となく複製が繰り返される過程で他者イメージの単純化やステレオタイプ化が行われた。

11-01

11-01
「チュニジア館前の屋外アトリエ」（パリ万博、1889年）『リュニベール・イリュストレ』同年（発行日不詳）［画：M. Paul. Destez］

11-02

11-03

11-02
「ジャワ村」（パリ万博、1889年）写真

11-03
「エスプラナード・デ・アンヴァリッドにおける
ジャワ村のかわいいダンサーたち」
（パリ万博、1889年）
『ル・ジュルナル・イリュストレ』
同年6月23日

11-04
「カイロ通り」（パリ万博、1889年）写真

11-04

8763. Cairo Street, Midway Plaisance, World's Fair, Chicago.

11-05

11-06

11-05
「カイロ通り、ミッドウェイ・プレザンス」
（シカゴ万博、1893年）ステレオ写真カード
［発行：B. W. Kirburn］

11-06
「ミラノにおけるカイロ」
（ミラノ国際博、1906年）絵葉書

11-07
「カイロ通り」
（アラスカ・ユーコン太平洋博、1909年）絵葉書

11-07

11-08

11-09

11-08
「インドシナの仏塔」（パリ万博、1889年）写真

11-09
『イリュストラシオン』（パリ国際植民地博、1931年）
同年8月22日

11-10
「外観、インドシナ、保護領」（マルセイユ内国植民地博、1922年）絵葉書

11-10

11-11

「万博におけるサモアの赤ん坊」

（シカゴ万博、1893年）ステレオ写真カード

［発行：B. W. Kilburn］

シカゴ万博で撮影されたサモアの赤ん坊の
写真は、キルバーン社のステレオ写真カード
に加工されて販売されたが、同じ写真がキー
ストーン社のステレオ写真にも流用されてお
り、そちらの方は万博会場ではなく、あたかも
現地で撮影されたかのようなキャプションが
つけられている。〈ネイティヴ・ヴィレッジ〉の写
真は、博覧会場で撮影されたものか、現地で
撮影されたものか判別できないことがある。

11-11

11-12

「サモアの住居における子供」

1900年代頃、ステレオ写真カード

［発行：Keystone View Company］

11-13

「エスキモーと彼らのボート」

（シカゴ万博、1893年）ステレオ写真カード

［発行：B. W. Kilburn］

11-14

「エスキモーと彼らのボート（カヤック）」

（セントルイス万博、1904年）

ステレオ写真カード

［発行：Keystone View Company］

11-12

11-13

11-14

11-15

11-16

11-15
「メムリンガとラルトゥガ、エスキモーの母と赤ん坊、エスキモー村」（アラスカ・ユーコン太平洋博、1909年）絵葉書

11-16
「エスキモーの女性と子供」1909年頃、絵葉書

11-17
「「ラルトゥジア」はテディベアのコスチュームでのんびりと過ごす」
（アラスカ・ユーコン太平洋博、1909年）絵葉書

11-18
「エスキモーのテディベア」1909年頃、絵葉書

11-17

11-18

1928年に締結された国際博覧会条約の一般種別に「植民」という項目があるように、万博と植民地展示は密接に結びついてきた歴史がある。最初の万博となった1851年のロンドン万博では、ヨーロッパの植民地の原産物が展示されたほか、チュニジアやトルコの展示場には手工業品を見せる人々の姿が見られた。1855年のパリ万博でも植民地展示が行われ、その後展示に余興的・教育的要素やリアリティを加えるために植民地住民や住居などからなる〈ネイティヴ・ヴィレッジ〉も登場する。

植民地に特化した最初の博覧会は、1883年のアムステルダムで開催された国際植民地・輸出博で、会場にはジャワの集落が再現された。当時世界最大の植民地を有していたイギリスでは、植民地インドの重要性を自国民に示すべく

1886年にロンドンで植民地・インド博を開催、これが植民地をメインテーマとするイギリス初の博覧会となった。

イギリスに次ぐ世界第二の植民地帝国を築いていたフランスは、1906年と1922年にアフリカへの玄関口としてフランス植民地帝国の中心となっていたマルセイユで二度の植民地博を開催、両博覧会を挟んだ1907年にも首都のパリでも開催した。

19世紀末からドイツやベルギー、イタリアなども植民地をテーマにした博覧会を開催し、後発帝国主義国の日本も1912年と1913年の拓殖博で後に続いた。

植民地をテーマにしたもののなかで最も知られているのは、1931年のパリ国際植民地博だろう。両大戦間におけるヨーロッパ最大の政治的・文化的イベントとなり、植民地を持つ

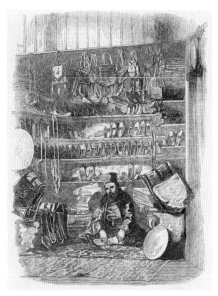

12-01

12-02

12-01
「チュニジア展示場」（ロンドン万博、1851年）『イラストレイテッド・ロンドン・ニューズ』同年5月31日

12-02
「ジャワ村の入口の竹の橋」（アムステルダム国際植民地・輸出博、1883年）『イリュストラシオン』同年8月25日

国々の連帯とその力を誇示したが、シュルレアリストやコミュニストらによる反植民地展も開催された。パリ国際植民地博の成功に刺激されたように植民地展示を含む博覧会は、次々と開催され、1934年のポルト、1935年のブリュッセル、1937年のパリ、1938年のドレスデンと続く。やがて植民地の都市部とその外側の観光地にも広がりを見せるようになるが、第二次世界大戦の勃発で植民地博の流れは途絶える。戦後初の万博となった1958年のブリュッセル万博につくられた「コンゴ村」は、戦前に回帰したようなアナクロニックなものであったが、この2年後にコンゴは独立、万博における〈ネイティヴ・ヴィレッジ〉の最後を飾ることとなった。戦後の脱植民地化時代の到来により、帝国主義の時代は終焉を迎え、植民地博も開催されることはなくなった。

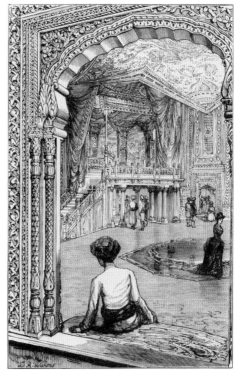

12-03

12-04

12-03
「ダーバーホール入口」（植民地・インド博、1886年）『イラストレイテッド・ロンドン・ニューズ』同年7月17日

12-04
「植民地館」（パリ万博、1889年）写真

12-05

12-05

『拓殖博覧会記念写真帖』第1編（拓殖博、1912年）

［発行：明治記念会］

拓殖博覧会の監修を行った人類学者の坪井正五郎が
考案した図案。台湾のタイヤル族と韓国の将軍標（魔除
けの木柱）、アイヌの祭具・イナウのイラストの周囲に「樺
太アイヌの模様」と「シナ式の模様」が配置されている。

12-06

「明治記念拓殖博覧会」（明治記念拓殖博、1913年）

［発行：遼東新報大阪市局］

明治記念拓殖博覧会のポスター。内地の地図と明治
天皇の横顔の周囲に明治期に新領土となった地域（樺
太、北海道、満洲、台湾、朝鮮）の人口、面積、温度などが
書かれている。北海道アイヌや樺太の「ギリヤーク」「オ
ロチョン」、台湾の「生蕃」の〈ネイティヴ・ヴィレッジ〉を
通して帝国日本の「代表的人種」と「代表獣類」が紹
介された。

| 今や多くの植民地を有する国にあらざれば其富強を期する能はざるの実状を呈するに至れり。[Q]　　　　　　　　　　　　坪井正五郎

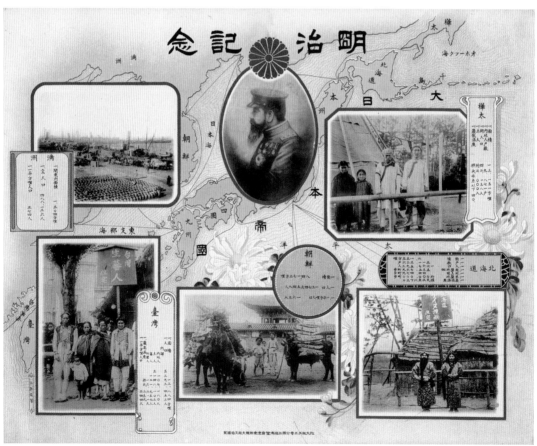

12-06

12-07

12-07
「マダガスカル」（マルセイユ植民地博、1906年）
絵葉書

12-08
『イリュストラシオン：マルセイユ植民地博覧会』
（マルセイユ内国植民地博、1922年）同年10月21日

12-09
「マルセイユ内国植民地博覧会」『起草者たちによるマルセイユ植民地博覧会』1922年
［画：David Dellepiane］［発行：Commissariat général de l'exposition］
マルセイユ内国植民地博のポスター。フランス国旗を掲げたカビリアの女性の傍らにフ
ランスにクメールの彫像を掲げて立つ小柄なカンボジアの女性、そしてその足元にはア
フリカの女性が笑みをたたえて座る姿が描かれている。帝国を構成する多様な民族を
統べるようにフランス国旗がマルセイユ港に翻っている。

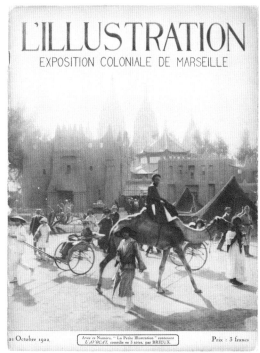

12-08

12-09

12-10

高さ45メートルと55メートルの頂部を備え、切り揃えた岩を装飾してつくられた揺るぎない土台の上にそびえる5つの塔は、
われわれ［フランス］の手によって今や集結し結束した、連邦［仏領インドシナ連邦］の5つの国の似姿ではありませんか？*R

パリ国際植民博公式ガイド

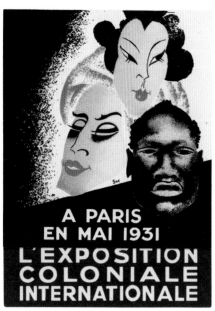

12-11

12-10
「フランス植民地博覧会のパノラマ」（パリ国際植民博、1931年）写真
パリ国際植民博では、インドシナ館として細部の装飾まで忠実に再
現された実物大のアンコール・ワットがつくられた。フランスのヴァンセ
ンヌの森に再現されたこの寺院の装飾は、実際にカンボジアで鋳型を
取り、漆喰で立体化して組み上げるという工程を経てつくられた精巧
なもので、博覧会場のランドマーク的な存在となった。博覧会責任者
のマレシャル・ユベール・リオテ元帥は、アンコール・ワットとその前につ
くられた「フランス植民地通り」を使って要人を招いた盛大なページェ
ントを何度も行った。

12-11
「5月のパリで国際植民地博覧会」（パリ国際植民博、1931年）
パンフレット

12-12

『ル・リール：植民地博覧会特別号』（パリ国際植民地博、1931年）
同年5月23日［画：Albert Dubout］

12-13

「植民地博物館」（パリ国際植民地博、1931年）写真
植民地博物館のファサードは、彫刻家のアルフレッド・ジャニオによる「植民地のフランスへの貢献」を主題にした高さ10メートル、幅100メートルのレリーフ装飾で埋め尽くされていた。内部の壁画装飾には、ピエール・デュコ・ド・ラ・アイユらによって「フランスの植民地への貢献」を主題にしたフレスコ画などが描かれており、宗主国と植民地との相互共存が表現されていた。エントランスに設置されていた彫刻は、レオン・ドリヴィエの「植民地立国フランス」、建築はアルベール・ラプラド。

太陽よ　海原に君臨する太陽よ　お前は天使となる
排泄物のような総督たちのヒゲ
番号を付けられた奴隷たちの太陽
裸体の太陽　アヘンを吸った太陽　ムチ打たれた太陽
バスチーユの監獄を讃える太陽が
7月14日のカイエンヌの街に

雨が降る　植民地博覧会に　土砂降りの雨が降る[S]

ルイ・アラゴン

12-12

12-13

12-14

NATIVE MODE OF PROCURING FIRE

12-15

（行發會覽博灣臺）　門樓築建式古灣臺口入

12-16

12-17

12-14
「ウェンブリー博覧会におけるイギリス国王と女王」
（大英帝国博、1924年）写真

12-15
「現地の火おこしの方法」
（ヨハネスブルグ帝国博、1936年）絵葉書

12-16
「入口台湾古式建築楼門」
（台湾博、1935年）絵葉書［発行：台湾博覧会］

12-17
「ベルギー領コンゴ」
（ブリュッセル万博、1958年）絵葉書

12-18
パリ国際植民地博覧会、1931年、写真

帝国の祭典 ── 博覧会と〈人間の展示〉

帝国主義のショーケース

19世紀後半の西洋を割したのは、視覚のスペクタクル化と言うべきものであった。ジオラマやパノラマ、幻燈、写真、映画など、様々な光学的装置が視覚の領域を拡張し、それに伴う体験が次々と商品化され、人々の娯楽へと供されていった。視覚の効果、商品への欲望、娯楽の大衆化 ── それらのアマルガムを極めたメディアこそ、産業製品の壮大なスペクタクル装置、すなわち万国博覧会（以下、万博）であった。

　1851年、世界初の万博が開催される。ロンドンのハイド・パークに設営された水晶宮（クリスタル・パレス）を会場とし、正式名称は「万国の産業製品の大博覧会（Great Exhibition of the Works of Industry of All Nations）」。その名のとおり、産業技術の到達点を示すべく世界各国からの出展物10万点が一堂に集められた。展示空間を巨大なショーケースか温室のなかに包摂したかのような水晶宮自体が、この万博の一番の目玉だったと言っても過言ではないだろう。短い工期で完成させるために鉄骨とガラスを多用した、プレハブ工法の先駆けである。高さ約30メートルの吹き抜けから自然光がふんだんに降り注ぐ明るい部屋のただなかで、来場客は商品世界のスペクタクルを享受した。「万国（All Nations）」と銘打たれてはいたものの、展示スペースの半分は「世界の工場」たる大英帝国の成果に割かれ、ヴィクトリア朝時代の繁栄を世界に知らしめる内容となっていたことは、帝国主義のショーケースとしての万博の性格をよく表している。会場を訪れた英国民は、展示されていた植民地の品々を目にし、遠方にまで広がるわが大英帝国を実感したことだろう。「太陽の沈まぬ国」の豊かさと宗主国国民の優越性が、具体的なモノを通じて提示されたのである。

　万博開催でイギリスに遅れをとったフランスがロンドン万博に対抗する形で実現したのが、1855年のパリ万博である。ナポレオン三世とそのブレーンたるサン＝シモン主義者の主導のもと計画され、クリミア戦争中の実施となった第一回パリ万博の主たる目的も、イギリス同様に世界各地に植民地を抱えたフランス帝国の威容を、国内外に印象づけることにあった。第二帝政期に二度開催されたパリ万博は、壮大な祭典の主催者にして帝国の最高権力者たるフランス皇帝の威厳を可視化する舞台装置としての役割もまた担わされていた［fig.1］。普仏戦争での敗北と共和政への移行を経て開催された1878年の第三回パリ万博では、共和政の下で復興しつつあるフランスがアピールされることになった。帝政であろうが共和政であろうが、万博が開催主体である政権の権威と正統性を誇示するとともに、参加各国のナショナル・アイデンティティ構築の場としての役割を託されたことには、さして変わりはないと言えよう。

　1855年パリ万博の主会場としてシャンゼリゼに建てられた産業宮（パレ・ド・ランデュストリ）は、ロンドンの水晶宮に比べると、屋根のみが鉄骨とガラスで覆われた少しばかり

fig.1
「皇帝陛下によるボスポラスのキオスク訪問（オスマン地区）」
『ル・モンド・イリュストレ』（パリ万博、1867年）

手狭な空間であったが、授賞式などの式典を執り行うべく48メートルに及ぶ回廊が設けられた。正面入口を飾った彫像には、フランスを象徴する女神が2人の娘「産業」「芸術」に金の冠を授けようとしている姿がかたどられた［鹿島1992：84］。まさにその像が示すごとく、以降のパリ万博を通じて、優秀な出展者に国家が評価を与える褒賞制度が確立され、産業製品のブランド化と国家間の技術競争が推し進められることになる。参加国が自国製品を売り込むだけでなく、国家イメージを高めるためのデモンストレーションの場として万博が活用されるのである。

19世紀中葉の万博的空間は、博覧会場を離れた場所での消費生活へも拡張されたという点は指摘しておいてよいだろう［鹿島1991、吉見1992］。鉄とガラスと光を多用した万博式のディスプレイは、パリのデパート「ボン・マルシェ」の新店舗（1874年完成）でも採用されたが、それは経営者アリスティド・ブシコーがパリ万博のスペクタクルな空間演出を模倣してつくり上げたものだった。万博もデパートもともに、広大な空間に配置された目新しい陳列品がさながら別世界を体験させ、商品への欲望を喚起する。客たちはさしたる目的もなく「消費の殿堂」たるデパートをふらりと訪れ、ショーウィンドウや照明のオプティカルな効果に魅了されながら、美しく秩序づけられた商品の間をそぞろ歩くのである。

「商品という物神への巡礼所」——万博を端的にこう評したヴァルター・ベンヤミンは述べている。「資本主義文化の幻像は、1867年の万国博覧会において、まばゆいばかりの最盛期を極める。帝国は権力の頂点にある。パリは奢侈と流行の首都としての地位を不動のものにする」［ベンヤミン1995：340］。巨大な産業見本市としての万博は、ウィンドウショッピングという手軽で無料のスペクタクルを世界中に浸透させる契機となった。人々は万博の会期が終わった後も、気晴らしにデパートを訪れては、商品を値踏みし、比較し、「資本主義文化の幻像」に目を奪われる。万博はボン・マルシェが独自のパビリオンを出した1900年パリ万博あたりから娯楽的側面を強め、テーマパーク化していくが、デパートもまた、それに続くことになる。

万博と旅行

万博の草創期に当たる19世紀中葉は、植民地主義が拓いた航路や鉄道網などの交通体系の整備がグローバルな規模で進んだ時代である。万博の前提となるモノとヒトの大規模な移動を可能にしたのは、世界中に張り巡らされた帝国のネットワークであった。そして、1851年ロンドン万博から20世紀初頭までの博覧会の全盛時代は、1839年にパリで公開された写真術が世界中に伝播していく時期とも重なっていた。西洋諸国の軍事力・経済力・外交力を背景にしたモビリティの向上と最新テクノロジーであった写真術とが結びついたことにより、それまで限られた者しか目にすることができなかった異国の風景は、もはや遠いものではなくなった。写真師たちが持ち帰った写真が印刷物として複製され、広く流通するようになったからだ。こうした複製イメージを見て想いを馳せ巡らすのに飽き足らず、実際に現地を訪れたいと思う人々の夢を実現したのが、トマス・クックだった。世界の広範囲をカバーしたヴィクトリア朝時代の大英帝国のネットワークに大衆教化の可能性を見出したクックが発案したのが、団体パック旅行である。

そのクックの成功談として最もよく知られているのは、鉄道会社と連携した団体パック旅行によって、1851年のロンドン万博に大量の旅客を送りこんだことだろう。宿泊や食事の手配をパッケージに組み入れるというアイディアも、集客に結実した。当時の英国民の3分の1に当たる600万人以上がロンドン万博を訪れたが、そのうちの16万5千人がクックの取り扱った客だと言われている［ブレンドン1995：107］。旅客たちは世界各国の産業製品と人々が集まる水晶宮の華やかさに圧倒されたことだろう。会場にはイギリスやフランスの植民地からやってきた人々も動員されており、手工芸品を制作する様子を見せたり、自国の商品を来場客に説明したりしていた。後の万博で大規模に展開されることになる〈人間の展示〉の先例がすでにこの最初の万博にあったことを、ここでは確認しておきたい。

地方に住む英国人がはじめて首都を訪れるきっかけをロンドン万博が提供したように、大規模な博覧会の開催は、人々が余暇に地元を離れ、旅行に踏み出す大きな動機となっていた。クック社はロンドン万博に続いて、パリ万博やアメリカでの万博にも団体客の足を運ばせ、現地観光と組み合わせたツアーを企画している。1851年ロンドン万博を機にクックは、広報誌『クックの博覧会とエクスカーション』（後に『クックのエクスカーショニスト』と改題）を創刊し、誌面を通じて団体旅行の宣伝を図った。ポスターやパンフレットも制作され、こうした挿絵つきの印刷媒体は、遠方への欲望をかきたて、人々の流れを後押しした。大衆向けの団体パッ

ク旅行という仕組みが、旅にともなう煩わしさを取り除き、産業革命後の繁栄を謳歌していたイギリスにマス・ツーリズムを成立させたのである。旅行者の裾野は次第に広がりを見せ、1880年代には旅行ブームが到来するが、それは未知のものを発見する旅〔トラベル〕から既知のものを確認する旅行〔ツーリズム〕へと変容していく過程でもあった。

　ロンドン万博から半世紀後の1904年、アメリカのセントルイス万博開催時には、クック社は事務所をその会場内に構えるまでになっていた。事務所のファサードには、クック社がパレスチナやシリアで人材や装備——「ドラゴマン」と呼ばれる現地ガイドやラバ乗り、馬車——を業界最大規模で調達しうる会社であることが謳われていた。セントルイス万博の絵葉書を確認すると、エルサレムの旧市街を模した区域の「ヤッファ門」の壁面に「クック社ツーリスト事務所」という看板が掲げられているのが見える。その「エルサレム」には、キリストが十字架を背負って歩いたとされる「ヴィア・ドロローサ（苦難の道）」や「嘆きの壁」、「聖墳墓教会」といった名所の数々が忠実に再現されていた。さらにそこかしこにアラブ人やユダヤ人が配置され、彼らの操るラクダやロバが通りを闊歩していたことも、仮設の風景にリアリティを与えていた。来場客は現地まで足を伸ばすことなく、聖地への巡礼気分を味わうことができたのである。遠い異国の集落や街路、建築物が再現され、当地の人々（や動物）が動員あるいは展示される——博覧会場に設えられたこうした空間を、本稿では〈ネイティヴ・ヴィレッジ〉と呼ぶことにしたい。異国の空間と人間が再現・移植された〈ネイティヴ・ヴィレッジ〉は、ピクチャレスクでエキゾチックな魅力にあふれていた。そして当地の日常生活、習俗、風俗、あるいは技芸や芸能をトータルに見せることのできる大規模な舞台装置として、20世紀半ばまで万博や地方の博覧会などで採用され続け、人気を博すことになる。擬似的な複製たる〈ネイティヴ・ヴィレッジ〉は、本物の聖地を訪れてみたいという誘惑を来場客に喚起し、そして実際、現地へのツアーも旅行会社は提供していたわけである。

　クック社は、旅行の大衆化を国際的な規模で推し進めた。やがて中産階級だけでなく労働者階級も、産業革命がもたらした余暇と工場労働で稼いだ金を「世界を見る」ために使うようになる。1888年に「あなたはボタンを押すだけ、あとは当社にお任せください」という宣伝文句で知られるロールフィルム入りカメラ「ザ・コダック」が発売されると、イーストマン社のカメラを下げてクック社の海外パック旅行

に参加する観光客も登場する。彼らは非西洋諸国を自在に行き来し、撮影した写真を土産物として持ち帰った。〈ネイティヴ・ヴィレッジ〉という近場の（擬似）異国から、遠く離れた実際の異国まで、ツーリズムがその享受を可能にした。観光を享受する（西洋の）人々と、観光のなかで享受される（非西洋の）人々とに世界が分割され、前者が後者のイメージを所有するようになる。

異郷へ／異郷から

エッフェル塔の建設で知られる1889年パリ万博では、フランス植民地のパビリオン群とは別に、「コンゴ村」や「ニュー・カレドニア村」、「セネガル村」といった〈ネイティヴ・ヴィレッジ〉がはじめて屋外につくられた。それらが設営されたアンヴァリッドの会場を日がな一日歩けば、それぞれ特徴的な意匠を持つ各国パビリオンを堪能できるだけでなく、植民地の人々の生活を間近で目にすることも、彼らと会話することも可能だった。とりわけ最大規模を誇った「ジャワ村」には、竹やヤシの葉で建てられた20軒を超える家々に60名ものジャワ人が動員され、ガムランの演奏や舞踊のパフォーマンスも行われた。

　なかでも現地に見紛うばかりの高い再現性でセンセーションを巻き起こしたのが、「カイロ通り」と命名された地区であった。実際にカイロから運び出された古材を用いた精巧なファサードが街路の両側を飾り、やはり現地から動員されたエジプト産ロバ50頭（とそれをあやつる御者）が通りを賑やかした。バザールでは露天商が骨董品を売り、夜には踊り子がベリーダンスを披露した。通りの壁の汚れや美しい大理石のモザイク、あたりから立ちのぼる香辛料の匂い、といった細部の演出もまた古都の趣の再現に寄与した。来場客は料金を払えば、ロバに乗って通りを往来することも、モスク風のコーヒーハウスで過ごすことも、珍しい土産物を購入することもできた。カイロのエッセンスを詰め込み、コラージュしたこの場所は、もしかしたら現実のカイロよりもカイロらしかったのかもしれない。

　こうした〈ネイティヴ・ヴィレッジ〉は、万博だけでなく地方都市の博覧会でも人気のアトラクションの一つとなった。「黒人村」や「ダオメー村」、「セネガル村」[fig.2]といったアフリカの集落が、頻繁につくられた。身近な場所での異国への擬似旅行。旅に伴うさまざまな危険を冒すことも外国語を覚えることも多額の旅費も長い余暇も必要なかった。

1878年パリ万博の「諸国通り」、1893年シカゴ万博の娯楽地区「ミッドウェイ・プレザンス」、1900年パリ万博で民間業者が企画した「世界一周館」、1904年セントルイス万博の大通り「パイク」——数分も歩けばさまざまな異国の建築物・人々・風物に次々と遭遇することのできる密集空間は、狭い区域で世界旅行気分を味わうことを可能にした。トマス・クックは異国への心的距離を縮めたが、万博は世界全体の距離を圧縮してみせた。パリでの一連の「万博」がフランス語で「Exposition Universelle」であったように、この世の「万物（universelle）」を「展示（exposer）」しようという理念がまさしく実現されている。

　万博における〈ネイティヴ・ヴィレッジ〉や植民地パビリオンは、普段遠く離れて暮らす人間同士が接触しうる非日常的な空間であったが、そうした密集空間ゆえのリスク対策もまたとられた。ネイティヴたちへの予防接種が行われ、見る側と見られる側の距離を保つためにフェンスや柵が設けられ、警備員も配備されたケースもある。博覧会のために故郷から連れ出されたネイティヴたちは、来場客以上にリスクに晒された。異なる風土での長期滞在、気候に合わない服装、長距離移動に伴う疲労が、彼らに重大な健康被害をもたらし、ときに死に至らしめることさえあったからだ。一例を挙げれば、1897年ブリュッセル万博では、レオポルド二世の私領地とされていたコンゴ自由国から強制的に連れてこられたコンゴ人267名が、会場に設営された3つの村で生活を営んだが、劣悪な環境下だったことも影響し、会期中に7名が病死する事態となった。遺体は会場だったテルヴューレンの公園に西洋式で埋葬されたという。当時現地で大量虐殺に遭っていたコンゴ人であったが、そうした彼らをベルギーまで連れてきたところで、その健康状態などレオポルド二世にとっては関心の埒外でしかなかったろう。コンゴ自由国の「自由」が意味するのは、為政者にとっての収奪の自由でしかなかった、という苦い事実が残る。

興行師と見世物

ヨーロッパから遠方へと旅客を連れ出したトマス・クックとは逆方向に、遠方の文物あるいは人間そのものを西洋へと取り寄せ、商売にしようとする者たち——興行師や探検家——が陸続と現れたのもまた、19世紀という時代であった。「珍奇なもの」や「異邦人」が為政者への土産物として持ち帰られることは、ローマ帝国時代や大航海時代に

fig.2「セネガル村、ダイバーたち」（アミアン国際博、1906年）

fig.3「コズモラマ・ルームズでのアフリカ展、リージェント・ストリート」
『イラストレイテッド・ロンドン・ニューズ』1850年

も、西洋が自己をその外部に拡張させる過程で行われてきた営みであったし、ヨーロッパの王侯貴族や文人たちが世界中の珍品を収集・展示した「驚異の部屋」や富と権力を誇示すべくつくられた動物の飼育舎「メナジェリー」の伝統もすでにあったが、19世紀に起きたのは、こうした異他的なものへの情熱が大衆文化の発生とともに昂揚を見せたという事態である。特定の階級のもとに留め置かれていたものが外に持ち出されて（ex-position）広く一般大衆の目に触れるようになったのである。遠方への憧憬、未知のものへの好奇心、大衆への教育熱、異質な身体を持つ他者への畏れ……。19世紀を徴づけるこうした傾向が、博覧会やフリークショー、サーカス、博物館、動物園、劇場というスペクタクル空間として結実し、そのなかに〈人間の展示〉も組み込まれていく［fig.3］。

　こうした時代の〈人間の展示〉に携わった興行師として、「グレイテスト・ショーマン」の異名を持つフィニアス・テイラー・バーナムや、「グレイト・ファリーニ」として知られるギレルモ・ファリーニ、「動物王」と呼ばれたカール・ハーゲンベックの名前を挙げておこう。いずれも西洋人マジョリティにとって異質な身体を興行に取り入れることで国際的な成功を収めた点において共通している。

　1841年、バーナムが「アメリカ博物館」なる施設をニュー

ヨークに創業する。そこでは、世界各国の動物や珍品（まがい物も含まれていた）と並び、いわゆる「フリークス」や非西洋人などが「キュリオシティ」と呼ばれて見世物となっていた。キュリオシティのなかには、小人症の「親指トム」のように、バーナムとパートナーシップを結びスターダムへとのし上がった人物もあったが、非人道的な扱いを受けた人々もいた。

バーナムが手がけた一連の〈人間の展示〉の最初のケース、老婆ジョイス・ヘスもそうであったろう。ヘスは、かつてジョージ・ワシントン家に乳母役の奴隷として仕えていた、という触れ込みで1835年に展示された。バーナムが考案したペテンであったが、彼女が語るアメリカ建国にまつわる回想譚に人々は夢中になった。盲目で歯も欠いたヘスの顔には深い皺が刻まれ、体重はわずか20キロあまり、両手は麻痺をもち、その爪はぐにゃりと長く伸びてミイラのようであったと伝えられる。来場客のなかには、161歳と宣伝されていた彼女の体を確かめようと、脈拍をとったり握手を求める者もいたようだ［Reiss 2008: 75］。人気を博したが早いか1836年にヘスは亡くなる。バーナムは彼女の年齢に不審を抱く声に応えるべく、ただちに公開解剖を行い、そしてそれを集客に利用した。展示対象となった人間の身体があたかも実験動物のように扱われていたことが垣間見られる挿話だろう。

人間と動物のあわいで

〈人間の展示〉をめぐって、ジョイス・ヘスのように興行主や所有者、探検家から非人間的な扱いをうけた例は、枚挙にいとまがない。身体の大部分が大量の剛毛に覆われ、過剰に発達した顎を持っていたジュリア・パストラーナ——類人猿に似たその外見によりヨーロッパや北米で見世物とされた彼女は、出産の際に命を落とした後も好奇の眼に晒された。防腐処理が施されたパストラーナと彼女に似た新生児の遺体を引き取った夫（ジュリアの興行主）が、ミイラ化した二人を展示して稼ぎ続けたのだ。北極探検家のロバート・ピアリーが1897年にニューヨークに連れてきた「エスキモー」6名のうち1人が、暑さと湿気が原因で病死した後、同行していた息子に知らされぬまま、アメリカ自然史博物館で骨格標本になっていたというエピソードも同様に、〈人間の展示〉はその死後にも及ぶことを示している。

あるいは19世紀初頭の事例として、「ホッテントット・ヴィーナス」ことサラ・バートマン。彼女もまた、悲劇的な最期を迎えた人物である。ケープ植民地出身のコイコイ人で

あった彼女は、英国人船医らの甘言にのせられてロンドンへ渡り、その際にアフリカーンス語の「サーチェ・バールトマン」から英語名の「サラ・バートマン」へと改名された（本名は不明）。「ホッテントット」とはコイコイ人の蔑称で、「食人種」とみなされた「カナック」と並び、当時「野蛮人」の代表として表象されていた。バートマンは、1810年からロンドンで見世物となり、1814年には動物調教師に買い取られてパリへと移る。「ホッテントット・ヴィーナス」という興行名で人気を博したとされているが、当時の雑誌記事を覗けば、彼女が興行で登場する際の口上が紹介されており、その文言から実情がうかがい知れよう。曰く、「サロンの扉が開くとホッテントット・ヴィーナスが入場してきます。彼女こそ「美尻のヴィーナス」。キャンディさえ与えられれば、歌い踊ります。どこででも最も魅力的な女と言われるのが彼女です」［1］。

性的な魅力への言及と、従属的な動物に餌でもやるかのような不遜な態度とがここには同居している。バートマンの突き出た臀部と肥大した女性器（「ホッテントットのエプロン」と呼ばれた）が客寄せとなって、しばしば見物客の窃視や接触の対象となったようだ。エキゾチシズムとレイシズムとセクシズム。西洋が生み出した幻想のただなかに投げ込まれた彼女の身体は、最終的にはダーウィニズムに連なる科学的まなざしの犠牲者となったと言えるかもしれない。1815年にパリで病死すると、全身の石膏像が取られた後に公開解剖がなされ、ホルマリン漬けにされた脳や性器が骨格標本とともに自然史博物館に収蔵されたからだ。解剖を執り行ったのは、彼女の身体や所作が猿のそれと近いとかつて認定したことのある、博物学者ジョルジュ・レオポルド・キュヴィエ。いわゆる「ホッテントットのエプロン」が、フランス比較解剖学の権威であったキュヴィエの関心を引いたのは、「奇形、すなわちヨーロッパの規範からの逸脱」と判断されたがゆえのことだろう［シービンガー 1996: 184］。キュヴィエにとって彼女は「奇形人」であり、「生ける野蛮」にほかならなかった。ヘスもバートマンも興行主に買い取られる前は農場の奴隷であった。植民地や奴隷制こそが劣位の他者の存在を必要としたのであって、言うまでもなく、その逆ではない。なお、バートマンの全身像は、1937年にパリの人類博物館に移管され、1970年代半ばに批判が巻き起こるまで、長らく展示され続けていたという。また、1994年にネルソン・マンデラ政権が彼女の遺骨返還を要求し、実現した後、2002年に故郷の地に葬られた。

バートマンの死から半世紀近い1859年、チャールズ・

ダーウィンの『種の起源』が刊行される。そこで提唱された、自然淘汰と生存競争により種は進化するという説は、人間がアダムとイヴの子孫であり、あらゆる種は不変である、とみなすキリスト教的世界観と対立するものであった。ダーウィニズムへの関心の高まりは、人間と動物の間の連続性を解明する機運へとつらなる。そうした期待に応えるべく、最も高度な動物と最も下等な人間の間をつなぐ「ミッシング・リンク（失われた環）」とみなされた存在をヨーロッパへと連れ帰ったのが、アジアやアフリカに派遣された探検家や宣教師、興行師たちであった。

先に名を挙げた興行師のギレルモ・ファリーニは、探検家によってラオスで発見された多毛症の少女「クラオ」を養女にすると、ヨーロッパと北米で見世物興行を行った。その際、養父・興行主ファリーニは、彼女に「ミッシング・リンク」という呼称を与えた。クラオが出演した「ジョン・B・ドリスの新モンスター・ショー」のチラシには、医学雑誌や科学雑誌がダーウィンの理論の証明に迫る道を彼女の中に認めている、という旨の宣伝文句が読まれる。人々がこの毛むくじゃらの少女に人類の進化の謎を解く鍵を期待したことがうかがえる。

1904年のセントルイス万博では、その身体的特徴によってやはり「ミッシング・リンク」とみなされていたネグリト族の男性が「フィリピン村」に居住していた。ネグリト族の中でもひときわ身体の小さかった彼と並んで注目を集めたのが、コンゴから連れて来られたピグミー族の人々であった。とりわけオタ・ベンガという少年は、儀礼用に尖らせていた歯列により、ほかの仲間よりも目立つ存在だったようだ。万博会場の一角にはアイヌの一行も居住していたが、その監督兼通訳として同行していた稲垣陽一郎なる人物が、来場客たちの嘲笑の的となっていたベンガの姿を書き残している。「彼等は音声に軽蔑の語と、嘲弄の面相にて「見よ、此に『食肉人種（カンニバル）』あり、彼の二尺余の黒き小人はそれ也、彼の歯を見ずや、狼の牙の如く皆尖れり」と。かくて彼等は「汝の歯を示せ――示さずや、カンニバルよ」と謂ふ」[稲垣 2016: 91]。

くわえてセントルイス万博で話題をさらったのが、フィリピンのイゴロット族による犬の屠殺ショーであった。来場客の目前で殺した犬をさらに調理し食すというパフォーマンスは、熱狂を呼んだ。彼らの「獣性」や「原始性」が、好奇心を装った蔑視や嘲弄の対象となったのは、ベンガの尖歯にも通じることだ。西洋人によって「野蛮」や「未開」とみなさ

れるような習俗や儀式が、来場客のエキゾチシズムや優越意識を満たすアトラクションとして人気を博したのである。

ベンガはセントルイス万博終了後、自分たちをアメリカに誘った宣教師とともにいったんはアフリカに向かったものの、仲間と離れてアメリカに戻る決意をする。一時身を寄せていたアメリカ自然史博物館には、台座部に「ピグミー」と記載されたベンガのライフマスクが残されているが、彼が骨格計測のための標本となった証左だろう（セントルイス万博開催時、〈ネイティヴ・ヴィレッジ〉の住民に対して身体計測や写真撮影が行われ、ライフマスクも制作された）。当時、ベンガのようなアフリカの「黒人」は、文明化された「白人」と猿との間の中間的な段階とみなされ、その論拠の一つとなっていたのがこうした計測調査であった。

1906年には、ブロンクス動物園でサル舎の中に展示されたベンガが話題となる。動物園を離れた後、転地を繰り返したベンガは、第一次世界大戦勃発により帰郷の可能性が奪われたことを嘆いて、1916年に拳銃自殺してしまう。ムブティ・ピグミーのベンガのことを「ブッシュマン」などと書き立てていた『ニューヨーク・タイムズ』の1909年の記事は、上記の動物園での待遇について「彼があまり深く考えていないのは、おそらくよいことだ」[2]と記していたが、それが大きな間違いであったことを、数年後の悲劇は私たちに告げる。

動物的な存在とされた人々への酷薄な扱いは、動物の本性を神の似姿たる人間から限りなく遠いものとみなすキリスト教的な伝統と、それを否定したダーウィニズムとが相克した時期の抑圧として位置づけられるだろう。世界の説明原理が聖書から科学へとその軸足を移そうとしていた19世紀西洋において、差別を合理化するための科学的根拠を与えたのが、生物学であり、医学であり、人類学や優生学のような新興の学知であった。

セントルイス万博の「人類学部門」の責任者であった人類学者ウィリアム・ジョン・マクギーらが関わった万博の記録集には、世界の諸民族の位階を示す挿絵が掲載されている。「アメリカ・ヨーロッパ人」が頂点を占めるその図表の、最下位の「先史人」に次ぐ位置には「ブッシュマン」が描かれている[3]。異国の地でベンガを追い詰めたのは、彼のような存在を劣位の他者として位置づけようとしたこうした類の西洋的な物差しではなかったか。近年の研究は、19世紀から20世紀初頭に隆盛した〈人間の展示〉に、「人間動物園」という呼称を与えているが、ベンガの例は、まさにそれであった[Blanchard et al. 2008]。

人間と動物との連続性に関心が高まった時代、「ミッシング・リンク」として扱われ、管理・観察・蒐集の対象となった者たちがいた——バートマンもクラオもベンガも、そうした歴史を寡黙に証言するだろう。先の稲垣は、万博会場でベンガをなぶる人々についてこうも述べていた。「汝ら最新の流行に花の如く美に、蝶の如く軽く、外見を美にする米国婦人よ、汝等が残忍なりとするこの尖歯の黒人よりも、彼等のよわきと小さきと所謂「文明」なるものに、尚触れざるに乗じて彼等を愚弄してよろこぶ汝等こそ、遥に彼等にまさりて残忍なれ」[稲垣 2016：92]。

「文明」と「野蛮」

フランス革命100周年を記念した1889年パリ万博では、ギュスターヴ・エッフェルの設計による高さ300メートルのエッフェル塔が登場し、ランドマークとなった。水力エレベーターで展望台に上がれば、海のはるか彼方にあるはずの未知の国々のパビリオンを一望のもとに見下ろすことができた。フランス人来場客にとってそれは、文明の高みからの眺めにも感じられたのではなかったろうか。

1893年のシカゴ万博では、エッフェル塔に対抗して建造された大観覧車「フェリス・ホイール」が会場の広大な空にそびえ立ち、自国の工業力を誇示していた。エレベーターやエスカレーター、動く歩道のような最新技術を用いた移動装置は、万博会場ではそれ自体がさながら一つのアトラクションとして受容され、やがてデパートやショッピングモールといった商業空間に採用された際には、客の動線と視線を商品から商品へと誘導する役割を果たすことになる[fig.4]。

シカゴ万博でフェリス・ホイールが設置されたのは、アメリカと各国パビリオンが林立した主会場とは別に設けられた娯楽地区「ミッドウェイ・プレザンス」[fig.5]であった。ここでは様々なアトラクションや飲食店、劇場、土産物店、〈ネイティヴ・ヴィレッジ〉が渾然一体となり、異国情緒溢れる街区を形成していた。全長1マイルの大通りを歩けばその両側には、「ダオメー村」や「インディアン」の戦闘ショー、「ラップランド人」家族とトナカイ、「カイロ通り」のロバ乗りや踊り子、「ジャワ村」のカフェ、「古ウィーン」、ハーゲンベックの動物ショー、アルジェリアやペルシアの劇場、ムーア人の宮殿、インドや日本のバザールなどが次々と現れた。コスモポリタンな雰囲気のなかで仕掛けられた「生ける劇場」の演出に、

来場客は見入ったことだろう。(なお、シカゴに当時多く住んでいたドイツ系やアイルランド系の移民向けの企画だったのか、非西洋の〈ネイティヴ・ヴィレッジ〉以外にも、ドイツやアイルランドの城などもあった。)

ミッドウェイ・プレザンスの中心部に悠然と屹立する鋼鉄製のフェリス・ホイールと、その周囲の、木や土でできた低層の非西洋の住居群に、「文明」と「野蛮」というコントラストを見出した来場客も少なくなかったはずだ。「野蛮人」「未開」「半開」「食人種」「動物的」「無知」「不器量」……　シカゴ万博関連の出版物には、こうした形容によってミッドウェイ・プレザンスの住人が記述されている解説文があちこちに見出される。非西洋人に認められるさまざまな特徴を否定的に価値づけ、過去へと腑分けすることで、西洋人の優越性を浮かび上がらせるレトリックである。この種の言説には、シカゴ万博に関わった人類学者フレデリック・W・パットナムらも少なからず寄与した。

万博とは本来の文脈からモノや文化、風景を切り離し、一箇所に集めて並置する国際的な祭典であったが、そこに集積された断片は、「進歩」という西洋の物差しに沿って序列化された。ミッドウェイ・プレザンスの大半は非白人たちの展示によって占められていた。その一方で、万博の主会場が「ホワイト・シティ」がと呼ばれていたことは、ローマ風の白亜のパビリオン群が建ち並ぶ様の形容を超えた、象徴性を感じさせもする。さらにホワイト・シティの「栄誉の中庭」は、夜間は「文明の光」を感じさせるイルミネーションによって美しく彩られ、その中心部に当たる人口池には、文明の先導者として前進するアメリカを象徴した「コロンブスの噴水」[fig.6]が設置されていた。この1893年のシカゴ万博、別称「世界コロンビア博覧会」は、コロンブスのアメリカ大陸到達400周年を記念したものだった。その40年後の1933年シカゴ万博では、「進歩の一世紀」がテーマに掲げられた。西洋列強の「栄誉」と「進歩」を高らかに謳う祝祭空間としての色合いは強く保持され続けた、と言える。

1904年のセントルイス万博も「ルイジアナ購入記念博覧会」という別称をもつ。アメリカがフランスからルイジアナを購入してから101年目という年に当たっていた。この万博には、米西戦争の勝利を通じて獲得したフィリピンをアピールすべく、会場には「フィリピン村」が47エーカーの広大な土地を充当してつくられた。イゴロット族、モロ族、ヴィサヤ族、ネグリト族、バゴボ族の各集落とフィリピン兵士たちの駐屯地に総計1200名が動員され、手仕事に勤しむ様子や農業、儀式、弓技、行進を行う様子を見せた。他に

も「アイヌ村」「パタゴニア村」「ピグミー村」などが設けられ、前述のマクギーやフレデリック・スターら人類学者が展示に携わった。

　彼ら人類学者はネイティヴが寝泊まりする住居を自分たちで建てさせたり、現地と変わらぬ姿で生活させたりすることで、展示の真正性や学問的価値を保とうと心を砕いたようだが、しかしそれは結局のところ、ネイティヴたちはあくまで人類学の研究対象であって、その生活環境や健康状態は二の次とされたということを意味している。暑い地域から来たネイティヴにセントルイスでも裸同然で過ごさせるよう提案した人類学者と、彼らの姿に将来的な進歩の可能性を示唆させようとした主催者側との間で、綱引きもあったという［Rydell 1984: 172–174］。その帰結は、半裸のイゴロット族と米国式に訓練されたフィリピン兵士とを並べて掲載した「フィリピン村」のパンフレット紙上に確認することができる。現地と同じ格好のネイティヴと軍服に身を包んだ兵士とのコントラストのうちに、人類学者がこだわった展示の科学的価値と、植民地統治の成果を見せるという万博主催者側の政治的思惑とが調停されていると言えよう。

　そうした政治的企図は、万博会場に「模範学校」や「模範キャンプ」（フィリピン兵が駐屯した）が設営されたことにもみられる。これらの施設もまた、「野蛮」の暗がりにいる植民地住民を教え導く慈悲深き共和国アメリカ、という理想的自画像を反映したものではなかったか。「われわれ」が描いた「模範」に従って文明を伝道されるべき遅れた「彼ら」。当時イギリスやフランス、アメリカといった国々が用いた「白人の責務」「文明化の使命」「明白なる天命」などの美辞麗句は、植民地支配の不当性を糊塗する御都合主義的なレトリックであり、博覧会をめぐる言説でもまた利用された。こうした修辞を旗印に掲げた下では、植民地主義と共和主義的な人道主義とが、表面上矛盾せずに共存することができた。そして宗主国で開催された博覧会では、植民地がいかに多くの兵士や労働力、資源を「われわれ」に還元してくれるのかが〈人間の展示〉を通じて示されたのである。

　列強国が植民地拡大にしのぎを削った19世紀、西洋が新たに出会う他者を取り扱おうとした学問の一つが人類学だった。第一次大戦期に現地でのフィールドワークが一般化するまでは、「アームチェア人類学者」の時代であり、アジアやアフリカのネイティヴたちは、その研究対象として西洋諸国に取り寄せられ続けていた。1883年、パリ郊

外の庭園ジャルダン・ダクリマタシオンに滞在していた「オマハ・インディアン」一行を、ロラン・ボナパルト王子が撮影した写真がある。フェンスに白布を張ったシンプルな背景の前で正面と真横から同一条件下で一人ずつ撮影していく、という方法がそこではとられている。身体的特徴を際立たせながら、各部位を計測する目的で選択されたアプローチであることは明白だろう。1889年のパリ万博でも会場に集められた植民地住民に対する写真撮影や身体計測が実施されている。1904年セントルイス万博の際にも同様の記録が行われたことはすでに触れた通りだ。

fig.4「エスカレーター」（東京大正博覧会、1914年）

fig.5「ミッドウェイ・プレザンス」（シカゴ万博、1893年）

fig.6「コロンブスの噴水」（シカゴ万博、1893年）

fig.7
「首切りダンス中のニャムビ酋長」
（パリ万博、1937年）

身体を計測し、比較し、同定し、アーカイヴする——こうした方法論は当時、人類学研究や警察機構によって採用された。対象となったのはそれぞれ、非西洋人と犯罪者であった。集団的計測を通じて、身体の否定的な徴（しるし）が抽出されるとき、「われわれ」と「彼ら」の間の想像上の境界線にすぎないものに「科学的」な根拠が与えられる。「人種」の序列を科学的に裏づけようとする人類学や優生学、あるいは社会の進歩には生存競争が不可欠であるとする社会ダーウィニズムのような、19世紀に誕生した帝国の学知の傍らに登場し、並走したのが、写真という新規のメディアであった。19世紀中葉に発明された写真は、「客観性」の担保を装いつつ、ときに植民地支配の正当性を示すのにも寄与しながら、西洋人とは似て非なる「野蛮人」のステレオタイプを世界中に転送し、積層し続けたのである［fig.7］。

「民族ショー」のパフォーマーたち

ドイツのハーゲンベック動物園で行われていた〈人間の展示〉は、まさしく先述した「人間動物園」の類であるが、いささか趣が異なる部分もある。父親の仕事を継いで動物商となったカール・ハーゲンベックは、動物取引で培ったコネクションを生かして、サーカスや動物園の運営だけでなく、人間を展示する「民族ショー（Völkerschau）」にまで手を広げていく。1874年、友人の動物画家の助言に従ってトナカイととともにノルウェーから輸入した「ラップランド人」（サーミ人）を、ドイツの動物取引所で展示したのが、彼がはじめて手がけた〈人間の展示〉であった［Ames 2008 : 18］。その後、動物の主要輸入先であったスーダンからヌビア人を連れ出し、ドイツ、フランス、イギリスへと巡回展示した。1878年にベルリンの動物園に滞在していたヌビア人一団の姿を伝える雑誌記事の挿絵からは、彼らがそこで、日常生活を営む姿を見せていただけでなく、動物ショーや戦闘ショーを行ったり、来園者と会話したり、サインの求めに応じていたことがうかがい知れる［4］。

1877年、そのハーゲンベックの協力を得てヌビア人の展示を教育的企画として採用したのが、すでに触れたジャルダン・ダクリマタシオンである。これはヨーロッパの気候風土における異国の動植物の「順化（acclimatation）」の度合いを調査することを主目的として、ナポレオン三世夫妻の命によってパリ郊外のブローニュの森につくられた研究・教育・レクリエーション施設である。1860年の開園以来、パリ市民の憩いの場となっていたものの、普仏戦争敗北以降は財政難に見舞われていた。しかしヌビア人展示の企画をきっかけに、来園者数を劇的に回復させると、「ヒンドゥー村」や「神秘的アフリカ」、「小人王国」といった企画を次々と打ち出していき、ヨーロッパにおける〈人間の展示〉の一翼を担うようになる。動物の取引や企画の巡回などにあたっては、ドイツのハーゲンベック動物園との協力関係が維持された。

ハーゲンベック動物園は1907年、ハンブルク郊外に開園した。動物たちが自然な姿で生息しているかのように見せる「無柵放養方式（ハーゲンベック式）」の展示を世界ではじめて実現したことで知られるこの動物園では、「民族ショー」が頻繁に行われていた。動物園の正門にはシロクマやライオンの銅像と並んで、武器を持ったアメリカとアフリカのネイティヴの銅像が設置されており、〈人間の展示〉が動物の展示と同程度に重要なコンテンツとみなされていたことが察せられる。ハーゲンベックはそれまで、ヨーロッパ各地でシンハラ人の大規模な遠征やイヌイットの興行を行っていたが、長距離移動にともなう費用の捻出や病死者にしばしば頭を悩ませていたようだ。そうした一連の問題を解決したのが、この動物園の開園だった。ハーゲンベックと契約を結んだネイティヴたちは、動物園に長期滞在しながら故郷の動物とともに「民族ショー」に出演することが可能となった。〈人間の展示〉のいわば常設化であって、それによって長距離移動にともなう経費やリスクが軽減された。

ハーゲンベック動物園には、アジアやアフリカ、中東の様式を取り入れたエキゾチックな飼育舎やさまざまな建築物が設けられていた。灯篭や橋が配置された「日本島」ではフラミンゴや水鳥たちが羽を休め、土壁のゲートからは槍

を持ったソマリ人が乗馬して入場してきた。モスクの周りではベドウィンがラクダを引き、ヒンドゥー寺院の前ではインド人の踊りや奇術、象使いを見物できた。また、「シンハラ村」のような〈ネイティヴ・ヴィレッジ〉も存在した。異国風の飼育舎は、この頃の動物園での流行だったようだ。動物のみならず人間も建築物も世界中から集められたハーゲンベック動物園は、いわば世界の縮図を呈していたという点において、同時代の万博会場とも通じている。都市の中に持ち込まれた自然を見に動物園を訪れた来園者は、異国の人間があたかも自然な状態で暮らしている様子もまた、見て楽しんだのである。それは、西洋により飼いならされ、名付けられ、分類された自然であった。

「族」や「種」という集団的属性が一般に重視された〈人間の展示〉において、出演者の個人名が記録に残されることは少ない。その点で、ここハーゲンベックの興行で活躍したソマリ人ヘルシ・エジェ・ゴルシェは、例外的な存在だろう。ハーゲンベックと友人関係にあった彼は、パフォーマーであると同時に演出家でもあり、同族を率いるリーダーとして30年以上ハーゲンベックの興行を支えた。そもそも「民族ショー」(や博覧会)の出演者たちは、その多くが志願したうえで契約を結び、旅をし、ショーを演じていたことに鑑みれば、彼らが集合的な存在として見世物にされ、蔑視され、搾取され、抑圧された、といった一面的理解には必ずしも収まらない。このように、見世物を演じた側が興行に積極的にコミットしたケースというのは、博覧会の〈ネイティヴ・ヴィレッジ〉にも見られる。

ここではナンシー・コロンビア(あるいはコロンビア・エヌツィアック、ナンシー・エヌツィアック)の事例を紹介しておこう。カナダのラブラドール地方出身のイヌイットのエスター・エヌツィアックは、1893年シカゴ万博の「エスキモー村」で女児を出産した。新生児は、この万博の別称「世界コロンビア博覧会」にちなんで、関係者から「ナンシー・コロンビア」と命名された。この出来事は、身重の女性がシカゴまでの長旅を経て数カ月間にも及ぶ万博に出演したことを意味している。生まれた時から万博のただなかにいたナンシー、いわば博覧会の申し子たる彼女は、プロモーター的役割を務めた母親の手でプロフェッショナルなパフォーマーとして育てられた。セントルイス万博や汎アメリカ博、さらには遊園地や動物園、サーカスなどにも家族とともに出演し、ヨーロッパでも活躍した。1909年のアラスカ・ユーコン太平洋博では、ナンシーは「ペイ・ストリークの女王」という称号を与えられ、個

人名が書かれたブロマイド的な絵葉書も発行された。さまざまな〈ネイティヴ・ヴィレッジ〉やアトラクションが軒を連ねた娯楽地区「ペイ・ストリーク」[fig.8]で彼女は、鞭を手に「エスキモー犬」をあやつる姿を来場客に見せ、注目を集めていた。1911年には映画『エスキモーの道』への出演によってハリウッドデビューも果たすこととなり、イヌイット初の俳優となった。シカゴに生まれ、西洋人に近い顔立ちを持ち、英語も巧みに話す彼女が「エスキモー」のアイコン的存在となるには、さほど時間がかからなかった。彼女は西洋人にとって「近しい他者」であったと言えるかもしれない。

マジョリティとは異なる身体を持つことや「野蛮人」を演じることが、ビジネスとして成立するようになると、そうした身体を売り物に、劇場や展示施設への出演を専門にする職能集団も現れてくる。彼らは土地に縛り付けられたいわゆる「ネイティヴ」というイメージではなく、広範囲を移動する旅芸人のような存在であった。なかにはエヌツィアック一家のように博覧会に能動的に携わり、自ら企画を立案したり、演出に助言を与えたりするようになった例も、さほど多くはないが存在していた。こうした場合、一方的に客から「見られる」存在であるのか、自発的に客に「見せる」存在であるのか、微妙で曖昧な部分が含まれるだろう。対価を得ていたことをもって出演者の自発性・積極性を認められるかどうか、安易な判断は慎むべきと思われる。ただ、少なくともナンシーは、物言わぬ被観察者の立場に甘んじることなく、自分の出自と技芸を生かしたエンターテイナーへの道を、自らの意志で歩み、西洋社会で生きることを選んだのだった。

国際博覧会という場は、異なる文化が遭遇・接触する領域、メアリー・ルイズ・プラットが呼ぶところの「コンタクト・ゾーン」として捉え直すことができる。プラットの著書『帝国のまなざし』によれば、「コンタクト・ゾーン」とは、宗主国と植民地、あるいは西洋諸国と非西洋諸国の間で、非対称的か

fig.8 「ペイ・ストリーク」(アラスカ・ユーコン太平洋博、1909年)

つ相互交渉的な接触が生起する領域を指す［Pratt 1992: 4］。ヘルシ・エジェ・ゴルシェやナンシー・コロンビアの例が教えてくれるのは、こうした「コンタクト・ゾーン」において、〈ネイティヴ・ヴィレッジ〉の住人たちは、まなざしの客体であると同時に主体でもありえた、ということだ。自分たちが置かれた状況のなかで、異なる価値観を持つ他者と渡りあいながら、マイノリティとして生存への道を探ったネイティヴたち。西洋世界の影響を受けた彼ら・彼女らが、帰郷の際には自分たちが見聞した異文化の様子を伝える媒介者となっていったこともまた事実である。

万博で異文化に出会ったことを契機に作風を変えた西洋の芸術家たち――南国の楽園を夢見てタヒチに旅立ったポール・ゴーガン、ジャングルをモチーフに描き始めたアンリ・ルソー、ガムランの音階を自作に取り入れたクロード・ドビュッシー……。つとに周知のこうした事績に比して、万博出演を機にアメリカで俳優になったナンシー・コロンビアの物語は、さほど知られていない。

複製される博覧会

仮設の街路にもかかわらず現地と見紛うほどの完成度を誇った1889年パリ万博の「カイロ通り」は、その後の万博や国際博でも踏襲された。1893年シカゴ万博、1901年汎アメリカ博、1904年セントルイス万博、1909年アラスカ・ユーコン太平洋博、1913年ヘント万博、とリメイクは繰り返され、現実のカイロの街並に近い場合もあれば、娯楽色を強め過ぎたためにリアリティを欠く場合もあったが、やはり既視感は拭えない。同じ1889年パリ万博に登場したカンボジアのアンコール・ワットもまた、1900年パリ万博や1922年マルセイユ内国植民地博、1931年パリ国際植民地博などで繰り返しつくられ、定番化する。継承と言えば聞こえがいいが、まるで前に開催された博覧会を複製し続けているかのようだ。

博覧会における〈ネイティヴ・ヴィレッジ〉は、映画やステレオ写真よりもリアルな、「ここではないどこか」を「ここ」で擬似体験するための異国の複製であり、来場客の視覚だけでなく触覚・聴覚・嗅覚・味覚までトータルに刺激する、立体的な「動くジオラマ」であった。遠隔地の空間と時間を部分的に切り取り、移動させた先で再現する、カット＆ペースト的複製――こうした方途が結果としてもたらすのは、博覧会場の〈ネイティヴ・ヴィレッジ〉で撮影された写真と、実際に現地で撮影されたものとの間の、判別し難いほどの類

似性だ。博覧会場であることを示す要素――サイン類、電線、来場客、舞台、別のパビリオンなど――が写り込んでいない場合、キャプションなしに両者を見分けることは難しい。1889年パリ万博の「カイロ通り」のように再現度がきわめて高ければ、なおさらのことである。

写真自体が複製的メディアであることを鑑みれば、〈ネイティヴ・ヴィレッジ〉の写真は、現地の複製のさらなる複製と言える。そうした写真はさらに、ステレオ写真や絵葉書、雑誌などに加工され、大量に販売された。なかには、キャプションだけ変えて、あたかも現地で撮影したかのように装ったステレオ写真や、博覧会の会場で撮った写真の背景を入れ替えて、現地風に修整した絵葉書も登場した。このように写真のなかの異国や異民族は、何度となく複製や修整・改変を施されながら、より遠くへ運ばれたのである。写真（という複製）であれ、〈ネイティヴ・ヴィレッジ〉（という複製）であれ、教育的・啓蒙的な機能を果たした側面があるには違いないが、複製の際に伴う「フレーミング」という取捨選択の行為は、演出が入り込む可能性と表裏一体であり、単純化やステレオタイプ化がそこで生まれれば、それが差別的な異文化観を醸成する温床となったこともまた否めない。

〈ネイティヴ・ヴィレッジ〉が大規模に展開された1889年パリ万博をヨーロッパ留学時代に実見した坪井正五郎は、同種の施設の日本での実現を夢想していた。坪井は日本人類学の草分けとされる人物で、帰国後は東京帝国大学理科大学の人類学教室の責任者となっていた。1903年に大阪・天王寺で開催された第五回内国勧業博覧会は、坪井が〈人間の展示〉に関わる第一歩となった。この博覧会は「内国」という呼称ながら、その規模や参加国の多さから、国をあげた準万博的なメガイベントと言えるもので、実際、アジア初の万博開催を視野に入れて企画された。それまでの内国勧業博と比べると、1900年パリ万博に倣って娯楽色が強められ、様々な余興――「ウォーターシュート」やメリーゴーランド（快回機）、花火、イルミネーション、「世界一周館」、「不思議館」［fig.9］――が増やされた点が特徴的である。日清戦争勝利による台湾領有を内外に顕示するための「台湾館」の存在も、特筆されるべき事項だろう。

そして来場客増加を狙った数ある余興の一つとしてこの勧業博の正門外に登場したのが、人類館であった。発起人は地元の実業家の西田正俊。会期直前に「学術人類館」という名称に急遽変更され（ただし以下では単に「人類館」と記す）、博覧会開場に10日遅れて開館した。「人類館」から

「学術人類館」への改称は、単なる見世物と思われてしまうことを恐れた企画者側が、学術的なお墨付きを得るために、人類学の権威であった坪井を途中から引っ張り込んだ結果として捉えることができる。人類学教室所蔵資料が借用され、同教室制作の「世界人種地図」が展示されたことなども、そうしたお墨付きの一環であった。「人類館開設趣意書」という文書には「文明各国の博覧会を鑑察するに人類館の設備あらざるはなし。之れ至当の事と信す。然るに今回の博覧会は万国大博覧会之準備会とも称す可き我国未曾有の博覧会なるにも拘わらず、公私共に人類館の設備を欠くは我輩等の甚だ遺憾」と記されている[5]。将来的な万博開催の布石であるこの博覧会には〈人間の展示〉施設が必須である、との主張は端的には、世界基準に合わせるべきという発想に根ざしている。万博の「準備会」というこの内国勧業博の性格づけが人類館設立の前提にあったことは、引用した上記趣意書の傍点強調箇所（原文通り）からも推察できる。

坪井の人類学教室から大阪に派遣され、実際に展示に携わった松村瞭によれば、人類館に招聘されたのは、「アイヌ七名（内女二名）琉球人二名（女）生蕃タイヤル種族一名（女）熟蕃二名（男）台湾土人二名（男女）マレー人二名（男）ジャヴァ人一名（男）印度人七名（内女二名）トルコ人一名（男）ザンヂバル島人一名（男）」の計26名であり、このほかに朝鮮人女性が2人いたものの「或事情」で「解雇」されたという[6]。「事情」とは実際には、清国や大韓帝国が自国民の展示を問題視し、外交問題へと発展しそうになったため、展示を中止した、という経緯を指す。さらには、沖縄からも激しい抗議が寄せられ、これら一連の出来事が後に「人類館事件」と呼ばれることとなる。『琉球新報』主筆の太田朝敷は社説のなかで、人類館の沖縄女性について「辻遊郭の娼妓」であると書いたうえで、「劣等の婦人を以て貴婦人を代表」させたことに憤りを示す。そして言うには――「台湾の生蕃北海のアイヌ等と共に本県人を撰みたるは是れ我を生蕃アイヌ視したるものなり我に対するの侮辱豈これより大なるものあらんや」[7]。「生蕃」（台湾原住民の蔑称）やアイヌを自分たちより下位に置こうとするこうした言説は、内地日本人と同じ上位カテゴリーに沖縄が包摂されることへの願望・要求と裏腹のものであろう。被差別者が差別から抜け出んとするあまり、差別する側の基準を内面化した抑圧者と化してしまう、いわば「抑圧移譲の原理」（丸山眞男）が作動している様が透かし見える（女性への

職業差別についても指摘しうるだろう）。そしてこうした構造は幾重にも複製・再生産され、帝国日本の版図拡大とともに南洋諸島にまで及ぶこととなる。

日本人としての沖縄「同胞」の結束を謳いつつ、内地による沖縄蔑視に異議を唱え、最終的には両者の間に引かれた分割線の修正を求める――そうしたポジショニングが、人類館をめぐる『琉球新報』の一連の記事からは読み取れる。近代国民国家の形成期における「〈日本人〉の境界」（小熊英二）をめぐる抗争が「人類館事件」という形で噴出したのであり、それは「同化」と「異化」のはざまで、内地と外地の縁で揺れ続けてきた沖縄の屈折を象徴する出来事でもあった。

さて、日本における本格的な〈ネイティヴ・ヴィレッジ〉の登場は、坪井が監修者として企画段階から関わった1912年の拓殖博覧会を待たねばならない。上野公園で開催された拓殖博では、人類館では実現できなかった屋外家屋が現地と同じように実物大でつくられ、「オロッコ、ギリヤック、樺太アイヌ、北海道アイヌ、台湾土人、台湾蕃人の諸種族男女長幼総数十八人」がそこに滞在し、日常生活を人々に見せていた[8]。拓殖博の展示において企図されたのは、まずもって新領土の紹介であったと言えよう。そこではいかなる住民が生活し、いかなる風景が広がり、いかなる資源が蓄えられているか――これらのアピールを通じて、内地国民に理解や入植、投資をうながすことが期待されていた。「拓殖」の呼称のとおり典型的な植民地博であり、列島の南北に版図を拡張する帝国日本の威容が内外に報知された。

人類館には、こうした植民地博的な要素は見受けられない。可能な範囲で様々な地域から出演者を有償で集めてきて、狭い館内でその外見や風俗を紹介しただけ、という

fig.9「不思議館」『風俗画報 臨時増刊 第五回内国勧業博覧会図会下編』1903年

印象がむしろ強く残る。たしかに日本の新領土の住民（北海道、沖縄、台湾）や、やがて日本がその版図に組み込もうとする東アジア・東南アジアの住民が選ばれているものの、はるかに遠く離れた地（トルコ、ザンジバル島）からも１人ずつ招聘されており、植民地主義に直結するとは必ずしも言いがたい面も含まれている。地元の実業家が企画し、途中から坪井に依頼して学術的権威の付与と内容の充実を図ったという経緯や、博覧会の公式パビリオンではなく民間の「場外余興」として開館されたという位置づけに、人類館という施設の中途半端な性格が垣間見られるだろう。

　一方、同じ第五回内国博でも、場内につくられた台湾館はと言えば、日台間の貿易振興を推し進め、内地国民に認知度の低い新領土の軍事的・経済的重要性を知らしめることが目的とされ、さらに『読売新聞』の報道によれば、「天皇陛下の臣民に属せし」台湾人を来日させて「内地に於ける殖産工芸進歩の実情」を認識させたうえで、「土民の心服心」の誘起を図る[9]、という同化（皇化）政策も企図されていた。したがって台湾館は、植民地経営を円滑に行うことを主目的とした植民地パビリオンと呼べるものであった。そうした側面を人類館はたしかに欠いているだろう。また人類館では、主催者側の企図を離れた動きさえ見られた。アイヌの出演者の一人で教育者だった伏根安太郎が、その教育成果をアピールしつつ、来場客から私設学校のための援助を募る場ともなっていたのだ[小原 2019: 37-41]。

　将来的な万博開催を目指して用意された人類館は、実際のところ、西洋版〈ネイティヴ・ヴィレッジ〉の中途半端な複製にとどまり、近世的な見世物と近代的な学術・博覧会とが接ぎ木されたその中途半端さによってこそ特徴づけられる、と言ったほうがよいかもしれない。そこに浮かび上がるのは、他者の展示を通じた自己顕示という西洋の流儀を曖昧に模倣しようとした、悲しき擬似西洋の姿だろうか。アジア初の万博となるはずだった1940年の「紀元2600年記念万博」は、日本帝国主義的が原因で幻に終わり、明治以来の宿願であった万博開催は、戦後まで持ちこされることになる。

　19世紀半ばから20世紀初頭にかけて、グローバリズムと植民地主義の拡大、資本主義の進展、マスメディアの発達が、異国への欲望を大衆の間にもたらした。その熱は、遠隔地の風景を丸ごと博覧会場に移植再現する〈ネイティヴ・ヴィレッジ〉において沸点を迎えていたように見える。帝国主義が可能にしたこの壮大なスペクタクルは、1931年のパリ国際植民地博を一つの境として、終焉への道を歩むことになる。現にその会期中には、ルイ・アラゴンやアンドレ・ブルトンをはじめとするシュルレアリストやコミュニストらによる対抗企画として反植民地博展がパリで催された。こうした動きも、「帝国の祭典」が早晩過去のものになるであろうことを告げていよう。別の街でも反植民地博覧会闘争委員会が立ち上がり、そこで捲かれたビラにはこう記されていたという。「博覧会の好奇心は、野蛮と紙一重である。それは檻の中の食人種や、舞台の上の黒人女性や人力車などを陳列するといった類の好奇心だ」[アジュロン 2003: 395]。展示される側に当てられた「野蛮」という形容が、展示する側・見物する側の西洋人へと鋭く向けられている。

　パリ国際植民地博以降も植民地展示を含む博覧会は、ヨーロッパ各地（ポルト、ブリュッセル、ドレスデン）などで開催され、植民地の都市部（台北、ヨハネスブルク）へも広がりを見せていくが、第二次世界大戦でその流れが途絶え、やがて脱植民地化の時代が幕を開ける。戦後初の万博となった1958年ブリュッセル万博では、戦前に回帰したような「コンゴ村」がつくられたが、これが万博における〈ネイティヴ・ヴィレッジ〉の最後となった。この２年後にコンゴは独立を果たす。自ら国を統治する能力がないとみなされてきた人々が、独立へ向けた歩みを刻み始めていた。

　未知なる遠方への欲望と、商品が幻視させる未来への欲望を飲み込み、乱反射させながら、世界の縮図を一望させようとした万博。しかし20世紀半ばに差し掛かると、「進歩」の名の下に明るい未来像を提示してきた万博という祭典は、国家と巨大企業によるPRの場へと急速に変容していくことになる。帝国に代わって「イメージの帝国」が世界を覆い始めるのである。

[注]

1　　*Journal des Dames et des Modes*, 12 February 1815.

2　　*New York Times*, 9 September 1909.

3　　J. W. Buel (ed.), *Louisiana and the Fair*, Vol. 5, St. Louis World's Progress Publishing Co., 1904.

4　　*Über Land und Meer: Allgemeine Illustrirte Zeitung* 41, no. 10, 1878.

5　　「人類館開設趣意書」、『東京人類学会雑誌』18巻203号、1903年。

6　　松村瞭「大阪の人類館」、『東京人類学会雑誌』18巻205号、1903年。

7　　太田朝敷「人類館を中止せしめよ」、『琉球新報』1903年4月11日。

8　　坪井正五郎「明治年代と日本版内の人種」、『人類学雑誌』29巻1号、1914年。

9　　『読売新聞』1900年4月4日・5日付。

[参考文献]

- 朝日新聞記者編『欧米遊覧記』朝日新聞、1910年［＊H］
- シャルル＝ロベール・アジュロン「一九三一年の国際植民地博覧会 ── 共和国神話か、帝国神話か」
  平野千果子訳、ピエール・ノラ編『記憶の場 ── フランス国民意識の文化＝社会史 第2巻 統合』岩波書店、2003年
- 稲垣陽一郎『聖路易通信 ── 1904年セントルイス万国博覧会「アイヌ村」からの便り』田辺陽子編、かまくら春秋社、2016年［＊B, ＊N］
- ジュール・ヴェルヌ『気球に乗って五週間』手塚伸一訳、集英社文庫、2009年［＊I］
- 太田朝敷「人類館を中止せしめよ」、『琉球新報』1903年4月11日付［＊L］
- 小熊英二『〈日本人〉の境界 ── 沖縄・アイヌ・台湾・朝鮮 植民地支配から復帰運動まで』新曜社、1998年
- 鹿島茂『デパートを発明した夫婦』講談社現代新書、1991年
- ───『絶景、パリ万国博覧会 ── サン＝シモンの鉄の夢』河出書房新社、1992年
- 國雄行『博覧会の時代 ── 明治政府の博覧会政策』岩田書院、2005年
- スティーヴン・J・グールド『人間の測りまちがい ── 差別の科学史（上）』鈴木善次・森脇靖子訳、河出文庫、2008年［＊K］
- 小原真史「「人類館」の写真を読む」、『photographers' gallery press』no. 14、2019年
- ───「スペクタクルの博覧会」、『スペクタクル後 AFTER THE SPECTACLE 第14回恵比寿映像祭コンセプトブック』東京都写真美術館、2022年
- ポール・ゴーギャン『オヴィリ ── 野蛮人の記録』ダニエル・ゲラン編、岡谷公二訳、みすず書房、1980年［＊M］
- ゴンクール兄弟『ゴンクールの日記 III』大西克和訳、角川書店、1960年［＊A］
- ───『ゴンクールの日記（下）』斎藤一郎編訳、岩波文庫、2010年［＊C］
- ロンダ・シービンガー『女性を弄ぶ博物学 ── リンネはなぜ乳房にこだわったのか?』小川眞里子・財部香枝訳、工作舎、1996年
- 拓殖博覧会編『拓殖博覧会事務報告』拓殖博覧会残務取扱所、1913年［＊Q］
- 拓殖博覧会北海道出品協会編『拓殖博覧会北海道出品協会事務報告』拓殖博覧会北海道出品協会、1914年
- 竹沢尚一郎『表象の植民地帝国 ── 近代フランスと人文諸科学』世界思想社、2001年
- 夏目金之助『夏目鏡子宛書簡』（1900年10月23日）、『定本 漱石全集』第22巻、岩波書店、2019年［＊J］
- ケン・ハーパー『父さんのからだを返して ── 父親を骨格標本にされたエスキモーの少年』鈴木主税・小田切勝子訳、早川書房、2001年
- ニコラ・バンセル、パスカル・ブランシャール、フランソワーズ・ヴェルジェス『植民地共和国フランス』平野千果子・菊池恵介訳、岩波書店、2011年
- 藤村通監修『松方正義関係文書』第一巻、大東文化大学東洋研究所、1979年［＊G］
- アン・フリードバーグ『ウィンドウ・ショッピング ── 映画とポストモダン』井原慶一郎・宗洋・小林朋子訳、松柏社、2008年
- ピアーズ・ブレンドン『トマス・クック物語 ── 近代ツーリズムの創始者』石井昭夫訳、中央公論社、1995年
- ヴァルター・ベンヤミン「パリ ── 十九世紀の首都」久保哲司訳、『ベンヤミン・コレクション1 ── 近代の意味』浅井健二郎編訳、ちくま学芸文庫、1995年
- 松田京子『帝国の視線 ── 博覧会と異文化表象』吉川弘文館、2003年
- 溝井裕一『動物園の文化史 ── ひとと動物の5000年』勉誠出版、2014年
- ティモシー・ミッチェル『エジプトを植民地化する ── 博覧会世界と規律訓練的権力』大塚和夫・赤堀雅幸訳、法政大学出版局、2014年
- 宮武公夫『海を渡ったアイヌ ── 先住民展示と二つの博覧会』岩波書店、2010年
- パトリシア・モルトン『パリ植民地博覧会 ── オリエンタリズムの欲望と表象』長谷川章訳、ブリュッケ、2002年［＊S］
- 吉見俊哉『博覧会の政治学 ── まなざしの近代』中公新書、1992年
- バーバラ＝チェイス・リボウ『ホッテントット・ヴィーナス ── ある物語』井野瀬久美惠監訳、安保永子・余田愛子訳、法政大学出版局、2012年
- 渡辺公三『司法的同一性の誕生 ── 市民社会における個体識別と登録』言叢社、2003年
- 「台湾の珍客来る」、『読売新聞』1918年4月26日［＊P］
- Eric Ames, *Carl Hagenbeck's Empire of Entertainments*, University of Washington Press, 2008.
- P. T. Barnum, *Struggles and Triumphs: Or, Forty Years' Recollections of P.T. Barnum*, American News Company, 1871.［＊D］
- Pascal Blanchard et al. (eds.), *Human Zoos: Science and Spectacle in the Age of Colonial Empires*, Liverpool University Press, 2008.
- Pascal Blanchard et al. (eds.), *Human Zoos: The Invention of the Sauvage*, Actes Sud / Musée du quai Branly, 2011.
- Elizabeth Edwards (ed.), *Anthropology and Photography 1860-1920*, Yale University Press, 1992.
- Edmond de Goncourt, *La Maison d'un Artiste*, Charpentier, 1898.［＊F］
- Bernth Lindfors (ed.), *Africans on Stage: Studies in Ethnological Show Business*, Indiana University Press, 1999.
- Anne Maxwell, *Colonial Photography and Exhibitions: Representations of the 'Native' and the Making of European Identities*,
  Leicester University Press, 1999.
- Nancy J. Parezo & Don D. Fowler, *Anthropology Goes to the Fair: The 1904 Louisiana Purchase Exposition*, University of Nebraska Press, 2007.
- Mary Louise Pratt, *Imperial Eyes: Travel Writing and Transculturation*, Routledge, 1992.
- Robert W. Rydell, *All the World's a Fair: Visions of Empire at American International Expositions, 1876-1916*, University of Chicago Press, 1984.
- T. Denean Sharpley-Whiting, *Black Venus: Sexualized Savages, Primal Fears, and Primitive Narratives in French*, Duke University Press, 1999.
- Frederick Starr, *The Ainu Group at the Saint Louis Exposition*, Open Court Publishing Company, 1904.［＊O］
- Tyler Strovall, *Paris Noir: African-Americans in the City of Light*, Houghton Mifflin Company, 1996.［＊E］
- Jim Zwick, *Inuit Entertainers in the United States: From the Chicago World's Fair through the Birth of Hollywood*, Infinity Publishing, 2006.
- *Exposition Coloniale Internationale: Guide Officiel*, Editions Mayeux, 1931.［＊R］

著者について

小原真史［こはらまさし］

1978年、愛知県に生まれる。早稲田大学卒業、多摩美術大学大学院博士前期課程修了。現在、東京工芸大学准教授。2005年に「中平卓馬試論」で重森弘淹写真評論賞、2016年に第24回写真協会賞学芸賞を受賞。主な著書に、『時の宙づり──生・写真・死』（共著、IZU PHOTO MUSEUM、2010年）、『富士幻景──近代日本と富士の病』（IZU PHOTO MUSEUM、2011年）、『戦争と平和──〈報道写真〉が伝えたかった日本』（共著、平凡社、2015年）、『森の探偵──無人カメラがとらえた日本の自然』（共著、亜紀書房、2017年）などがある。監督作品に、『カメラになった男──写真家中平卓馬』（2003年）。IZU PHOTO MUSEUM 研究員として企画した主な展覧会に、「荒木経惟写真集展 アラーキー」、「小島一郎　北へ／北から」展、「宮崎学　自然の鉛筆」展、「増山たづ子　すべて写真になる日まで」展が、そのほかの展覧会に「イッツ・ア・スモールワールド：帝国の祭典と人間の展示」展（KYOTO EXPERIMENT 2021 SPRING）、「スペクタクルの博覧会」展（第14回恵比寿映像祭）などがある。

帝国の祭典 ── 博覧会と〈人間の展示〉

2022年10月10日 第一版第一刷印刷
2022年10月20日 第一版第一刷発行

著者：小原真史

装丁者：木村稔将
発行者：鈴木宏
発行所：株式会社水声社
東京都文京区小石川 2-7-5　郵便番号 112-0002
電話 03-3818-6040　FAX 03-3818-2437
［編集部］
横浜市港北区新吉田東 1-77-17　郵便番号 223-0058
電話 045-717-5356　FAX 045-717-5357
郵便振替 00180-4-654100
URL: http://www.suiseisha.net
印刷・製本：精興社

ISBN978-4-8010-0661-4